대화로 배우는 한국어

中国语(중국어)
翻译版(번역판)

• 대화 (名词) : 聊天
相互面对面进行交谈；或指交谈内容。

• 로(助词) : 无对应词汇
表示某事的方法或方式。

• 배우다 (动词) : 学，学习
获得新知识。

• -는(语尾) : 无对应词汇
使前面的词具有定语功能，表示事件或动作现在正在发生。

• 한국어 (名词) : 韩国语，韩语
韩国使用的语言。

※ 이 책의 폰트는 '함초롬 바탕체'를 사용하였습니다.

< 저자(著者) >

㈜한글2119연구소

• 연구개발전담부서

• ISO 9001 : 품질경영시스템 인증

• ISO 14001 : 환경경영시스템 인증

• 이메일(电邮) : gjh0675@naver.com

< 동영상(视频) 자료(资料) >

HANPUK_中国语(翻译)
https://www.youtube.com/@HANPUK_Chinese

제 2024153361 호

연구개발전담부서 인정서

1. 전담부서명: 연구개발전담부서

[소속기업명: (주)한글2119연구소]

2. 소　재　지: 인천광역시 부평구 마장로264번길 33 상가동 제지하층 제2호 (산곡동, 뉴서울아파트)

3. 신고 연월일: 2024년 05월 02일

과학기술정보통신부

「기초연구진흥 및 기술개발지원에 관한 법률」 제14조의 2제1항 및 같은 법 시행령 제27조제1항에 따라 위와 같이 기업의 연구개발전담부서로 인정합니다.

2024년 5월 13일

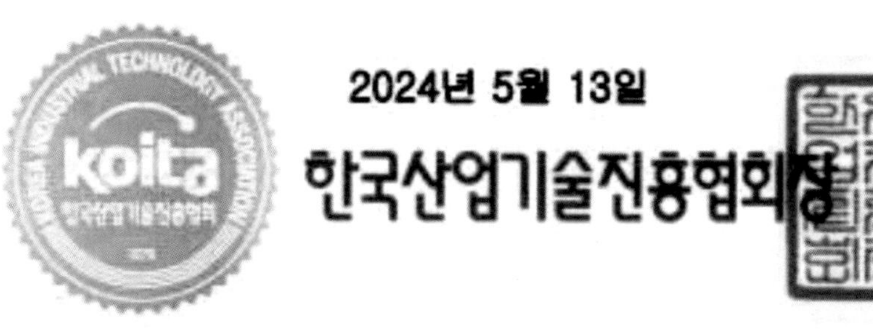

한국산업기술진흥협회장

G-CERTI *certificate*

hereby certifies that

Hangul 2119 Research Institute Co., Ltd.

Rm. 2, Lower level, Sangga-dong, 33, Majang-ro 264beon-gil, Bupyeong-gu, Incheon, Korea

meets the Standard Requirements & Scope as following

ISO 9001:2015
Quality Management Systems

Creation of Media Content, Publication of Korean Paper and Electronic Textbooks, Production and Release of Albums for Korean Language Education

Certificate No: GIS-6934-QC
Initial Date : 2024-05-21
Expiry Date : 2027-05-20

Code : 08, 39
Issue Date : 2024-05-21
Valid Period : 2024-05-21 ~ 2027-05-20

Signed for and on behalf of GCERTI
President I.K.Cho

G-CERTI *certificate*

hereby certifies that

Hangul 2119 Research Institute Co., Ltd.

Rm. 2, Lower level, Sangga-dong, 33, Majang-ro 264beon-gil, Bupyeong-gu, Incheon, Korea

meets the Standard Requirements & Scope as following

ISO 14001:2015

Environmental Management Systems

Creation of Media Content, Publication of Korean Paper and Electronic Textbooks, Production and Release of Albums for Korean Language Education

Certificate No: GIS-6934-EC
Initial Date : 2024-05-21
Expiry Date : 2027-05-20

Code : 08, 39
Issue Date : 2024-05-21
Valid Period : 2024-05-21 ~ 2027-05-20

Signed for and on behalf of GCERTI
President I.K.Cho

< 목차(目录) >

< 대화(聊天) > - 1

배고플 텐데 왜 밥을 많이 남겼어?
배고플 텐데 왜 바블 마니 남겨써?
baegopeul tende wae babeul mani namgyeosseo?

사실은 조금 전에 간식으로 빵을 먹었거든요.
사시른 조금 저네 간시그로 빵을 머걷꺼드뇨.
sasireun jogeum jeone gansigeuro ppangeul meogeotgeodeunyo.

< 설명(说明) / 번역(翻译) >

배고프+[ㄹ 텐데] 왜 밥+을 많이 남기+었+어?
배고플 텐데 남겼어

- **배고프다 (形容词)** : 배 속이 빈 것을 느껴 음식이 먹고 싶다.
  肚子饿
  感到肚子空了，想吃东西。

- -ㄹ 텐데 (表达) : 앞에 오는 말에 대하여 말하는 사람의 강한 추측을 나타내면서 그와 관련되는 내용을 이어 말할 때 쓰는 표현.
  无对应词汇
  表示说话人对前面内容有把握的推测，同时连接后面与此相关的内容。

- **왜 (副词)** : 무슨 이유로. 또는 어째서.
  为什么
  因什么原因；或指怎么。

- **밥 (名词)** : 쌀과 다른 곡식에 물을 붓고 물이 없어질 때까지 끓여서 익힌 음식.
  饭
  在大米或其他谷物中倒入水后煮干至熟的食物。

- 을 (助词) : 동작이 직접적으로 영향을 미치는 대상을 나타내는 조사.
  无对应词汇
  表示动作直接涉及的对象。

- **많이 (副词)** : 수나 양, 정도 등이 일정한 기준보다 넘게.
  多
  数、量、程度等超过一定标准地。

• **남기다 (动词)** : 다 쓰지 않고 나머지가 있게 하다.
剩，剩下
没用完，留下了一部分。

• -었- (语尾) : 어떤 사건이 과거에 완료되었거나 그 사건의 결과가 현재까지 지속되는 상황을 나타내는 어미.
无对应词汇
表示某一事件已结束或其结果保持到现在。

• -어 (语尾) : (두루낮춤으로) 어떤 사실을 서술하거나 **물음**, 명령, 권유를 나타내는 종결 어미.
无对应词汇
(普卑) 表示陈述某种事实、询问、命令或劝说。**<提问>**

사실+은 조금 전+에 간식+으로 빵+을 먹+었+거든요.

• **사실 (名词)** : 겉으로 드러나지 않은 일을 솔직하게 말할 때 쓰는 말.
事实上，其实
用于直率地说出表面上看不出的事实。

• 은 (助词) : 문장 속에서 어떤 대상이 화제임을 나타내는 조사.
无对应词汇
表示某个对象是句中的话题。

• **조금 (名词)** : 짧은 시간 동안.
片刻，一会儿
短暂时间。

• **전 (名词)** : 일정한 때보다 앞.
前
比一定时期早。

• 에 (助词) : 앞말이 시간이나 때임을 나타내는 조사.
无对应词汇
表示时间或时候。

• **간식 (名词)** : 식사와 식사 사이에 간단히 먹는 음식.
零食，点心
两餐之间所食用的简单的食物。

• 으로 (助词) : 신분이나 자격을 나타내는 조사.
无对应词汇
表示身份或资格。

• **빵 (名词)** : 밀가루를 반죽하여 발효시켜 찌거나 구운 음식.
面包
将面粉揉和并使之发酵后，蒸或烤而成的食物。

• 을 (助词) : 동작이 직접적으로 영향을 미치는 대상을 나타내는 조사.
无对应词汇
表示动作直接涉及的对象。

• **먹다 (动词)** : 음식 등을 입을 통하여 배 속에 들여보내다.
吃
将食物送进口中并咽下。

• -었- (语尾) : 사건이 과거에 일어났음을 나타내는 어미.
无对应词汇
表示过去。

• -거든요 (表达) : (두루높임으로) 앞의 내용에 대해 말하는 사람이 생각한 이유나 원인, 근거를 나타내는 표현.
无对应词汇
(普尊) 表示说话人就前面的内容表达理由、原因或根据。

< 대화(聊天) > - 2

제가 지금 돈이 얼마 없거든요. 회비를 다음에 드려도 될까요?
제가 지금 도니 얼마 업꺼드뇨. 회비를 다으메 드려도 될까요?
jega jigeum doni eolma eopgeodeunyo. hoebireul daeume deuryeodo doelkkayo?

네. 그럼 다음 주 모임에 오실 때 주세요.
네. 그럼 다음 주 모이메 오실 때 주세요.
ne. geureom daeum ju moime osil ttae juseyo.

< 설명(说明) / 번역(翻译) >

제+가 지금 돈+이 얼마 없+거든요.

회비+를 다음+에 드리+[어도 되]+ㄹ까요?
드려도 될까요

• **제 (代词)** : 말하는 사람이 자신을 낮추어 가리키는 말인 '저'에 조사 '가'가 붙을 때의 형태.
我
说话人对自己的谦称"저"后加助词"가"的形态。

• 가 (助词) : 어떤 상태나 상황에 놓인 대상이나 동작의 주체를 나타내는 조사.
无对应词汇
表示行为的主体或状态描述的对象。

• **지금 (副词)** : 말을 하고 있는 바로 이때에. 또는 그 즉시에.
现在，这会儿
在说话的当时；或此时此刻。

• **돈 (名词)** : 물건을 사고팔 때나 일한 값으로 주고받는 동전이나 지폐.
钱，金钱，钱币
买卖商品或作为劳动代价支付或收取的硬币或纸币。

• 이 (助词) : 어떤 상태나 상황의 대상이나 동작의 주체를 나타내는 조사.
无对应词汇
表示行为的主体或状态描述的对象。

• **얼마 (名词)** : 밝힐 필요가 없는 적은 수량, 값, 정도.
稍微，多少
无需说明的少的数量、价值、程度。

• **없다 (形容词)** : 어떤 물건을 가지고 있지 않거나 자격이나 능력 등을 갖추지 않은 상태이다.
没有
不具有某物，或不具备资格、能力。

• -거든요 (表达) : (두루높임으로) 앞으로 이어질 내용의 전제를 이야기하면서 뒤에 이야기가 계속 이어짐을 나타내는 표현.
无对应词汇
(普尊) 表示叙述接下来内容的前提，同时表示后面还有继续叙述的内容。

• **회비 (名词)** : 모임에서 사용하기 위하여 그 모임의 회원들이 내는 돈.
会费
组织内的会员交的钱，以供组织使用。

• 를 (助词) : 동작이 직접적으로 영향을 미치는 대상을 나타내는 조사.
无对应词汇
表示动作直接涉及的对象。

• **다음 (名词)** : 시간이 지난 뒤.
以后，下次
一段时间后。

• 에 (助词) : 앞말이 시간이나 때임을 나타내는 조사.
无对应词汇
表示时间或时候。

• **드리다 (动词)** : (높임말로) 주다. 무엇을 다른 사람에게 건네어 가지게 하거나 사용하게 하다.
致，呈，献，奉上
(尊称) 给。

• -어도 되다 (表达) : 어떤 행동에 대한 허락이나 허용을 나타낼 때 쓰는 표현.
无对应词汇
表示允许或同意某个行动。

• -ㄹ까요 (表达) : (두루높임으로) 듣는 사람에게 의견을 묻거나 제안함을 나타내는 표현.
无对应词汇
(普尊) 表示向听话人询问意见或提出建议。

네.

그럼 다음 주 모임+에 오+시+[ㄹ 때] 주+세요.
오실 때

• **네 (叹词)** : 윗사람의 물음이나 명령 등에 긍정하여 대답할 때 쓰는 말.
是，行
用于肯定回答长辈所提出的问题或命令等。

• **그럼 (副词)** : 앞의 내용을 받아들이거나 그 내용을 바탕으로 하여 새로운 주장을 할 때 쓰는 말.
那么，既然那样
用于表示接受前文内容，或以前文为基础，提出新的主张。

• **다음 (名词)** : 이번 차례의 바로 뒤.
下面，下一个
这个次序的后一个。

• **주 (名词)** : 월요일부터 일요일까지의 칠 일 동안.
一周，一星期
周一到周日的七天时间。

• **모임 (名词)** : 어떤 일을 하기 위하여 여러 사람이 모이는 일.
聚会
多人为做某事而聚在一起的行为。

• 에 (助词) : 앞말이 목적지이거나 어떤 행위의 진행 방향임을 나타내는 조사.
无对应词汇
表示目的地或某行为进行的方向。

• **오다 (动词)** : 어떤 목적이 있는 모임에 참석하기 위해 다른 곳에 있다가 이곳으로 위치를 옮기다.
来，来参加
为了参与某个有目的性的聚会而从另一个地方转移到这个地方。

• -시- (语尾) : 어떤 동작이나 상태의 주체를 높이는 뜻을 나타내는 어미.
无对应词汇
表示对某个动作或状态主体的尊敬。

• -ㄹ 때 (表达) : 어떤 행동이나 상황이 일어나는 동안이나 그 시기 또는 그러한 일이 일어난 경우를 나타내는 표현.
无对应词汇
表示某种行为或状况发生的期间、时期或发生此类事情的情况。

• **주다 (动词)** : 물건 등을 남에게 건네어 가지거나 쓰게 하다.
给予，给
把东西等递给别人，让别人拥有或使用。

• -세요 (语尾) : (두루높임으로) 설명, 의문, 명령, **요청**의 뜻을 나타내는 종결 어미.
无对应词汇
(普尊) 表示说明、疑问、命令、请求。**<要求>**

< 대화(聊天) > - 3

내가 급한 사정이 생겨서 못 가게 된 공연 티켓이 있는데 네가 갈래?
내가 그판 사정이 생겨서 몯 가게 된 공연 티케시 인는데 네가 갈래?
naega geupan sajeongi saenggyeoseo mot gage doen gongyeon tikesi inneunde nega gallae?

정말? 그러면 나야 고맙지.
정말? 그러면 나야 고맙찌.
jeongmal? geureomyeon naya gomapji.

< 설명(说明) / 번역(翻译) >

내+가 급하+ㄴ 사정+이 생기+어서 못 가+[게 되]+ㄴ 공연 티켓+이 있+는데
급한 생겨서 가게 된

네+가 가+ㄹ래?
갈래

- **내 (代词)** : '나'에 조사 '가'가 붙을 때의 형태.
  我
  "나(我)"后面加助词"가(表示动作主体)"时的形态。

- 가 (助词) : 어떤 상태나 상황에 놓인 대상이나 동작의 주체를 나타내는 조사.
  无对应词汇
  表示行为的主体或状态描述的对象。

- **급하다 (形容词)** : 사정이나 형편이 빨리 처리해야 할 상태에 있다.
  急
  处境或情况处于需要赶紧处理的状态。

- -ㄴ (语尾) : 앞의 말이 관형어의 기능을 하게 만들고 현재의 상태를 나타내는 어미.
  无对应词汇
  使前面的词具有定语功能，表示现在的状态。

- **사정 (名词)** : 일의 형편이나 이유.
  处境，情况，原因，缘由
  事情的状况及原因。

• 이 (助词) : 어떤 상태나 상황의 대상이나 동작의 주체를 나타내는 조사.
无対应词汇
表示行为的主体或状态描述的对象。

• **생기다 (动词)** : 사고나 일, 문제 등이 일어나다.
发生，产生
出现事故或事情、问题等。

• -어서 (语尾) : 이유나 근거를 나타내는 연결 어미.
无対应词汇
表示理由或根据。

• **못 (副词)** : 동사가 나타내는 동작을 할 수 없게.
无対应词汇
不会做动词所指的动作。

• **가다 (动词)** : 어떤 목적을 가진 모임에 참석하기 위해 이동하다.
去，前往
为参加某种聚会而移动。

• -게 되다 (表达) : 앞의 말이 나타내는 상태나 상황이 됨을 나타내는 표현.
无対应词汇
表示成为前面内容所表达的状态或状况。

• -ㄴ (语尾) : 앞의 말이 관형어의 기능을 하게 만들고 사건이나 동작이 완료되어 그 상태가 유지되고 있음을 나타내는 어미.
无対应词汇
使前面的词具有定语功能，表示事件或动作完成后其状态一直持续。

• **공연 (名词)** : 음악, 무용, 연극 등을 많은 사람들 앞에서 보이는 것.
演出，表演
将歌曲、舞蹈、戏剧等展现给观众。

• **티켓 (名词)** : 입장권, 승차권 등의 표.
票，券
入场券、车票等票据。

• 이 (助词) : 어떤 상태나 상황의 대상이나 동작의 주체를 나타내는 조사.
无対应词汇
表示行为的主体或状态描述的对象。

• **있다 (形容词)** : 어떤 물건을 가지고 있거나 자격이나 능력 등을 갖춘 상태이다.
有，具有
持有某种东西或具备某种资格、能力等。

• -는데 (语尾) : 뒤의 말을 하기 위하여 그 대상과 관련이 있는 상황을 미리 말함을 나타내는 연결 어미.
无对应词汇
表示为了说后面的话而先说与其相关的状况。

• **네 (代词)** : '너'에 조사 '가'가 붙을 때의 형태.
你
"너(你)"后面加助词"가(表示动作主体)"时的形态。

• 가 (助词) : 어떤 상태나 상황에 놓인 대상이나 동작의 주체를 나타내는 조사.
无对应词汇
表示行为的主体或状态描述的对象。

• **가다 (动词)** : 어떤 목적을 가진 모임에 참석하기 위해 이동하다.
去，前往
为参加某种聚会而移动。

• -ㄹ래 (语尾) : (두루낮춤으로) 앞으로 어떤 일을 하려고 하는 자신의 의사를 나타내거나 그 일에 대하여 듣는 사람의 의사를 물어봄을 나타내는 종결 어미.
无对应词汇
(普卑) 用来表明自己将要做某事的想法或询问听话人对某事的想法。

정말?

그러면 나+야 고맙+지.

• **정말 (名词)** : 거짓이 없는 사실. 또는 사실과 조금도 틀림이 없는 말.
真的，事实，真话
没有虚假的实情；或指与实情毫无差错的话。

• **그러면 (副词)** : 앞의 내용이 뒤의 내용의 조건이 될 때 쓰는 말.
那么，那样的话
用于表示前文为后文的条件。

• **나 (代词)** : 말하는 사람이 친구나 아랫사람에게 자기를 가리키는 말.
我
说话人在朋友或晚辈面前用来指称自己。

• 야 (助词) : 강조의 뜻을 나타내는 조사.
无对应词汇
表示强调。

• **고맙다 (形容词)** : 남이 자신을 위해 무엇을 해주어서 마음이 흐뭇하고 보답하고 싶다.
感谢，感激
因别人为自己做了什么，内心感到很满足，并想给予回报。

• -지 (语尾) : (두루낮춤으로) 말하는 사람이 자신에 대한 이야기나 자신의 생각을 친근하게 말할 때 쓰는 종결 어미.
无对应词汇
(普卑) 表示说话人亲切地说出自己的故事或想法。

< 대화(聊天) > - 4

저녁때 손님이 오신다고 불고기에다가 잡채까지 준비하게요?
저녁때 손니미 오신다고 불고기에다가 잡채까지 준비하게요?
jeonyeokttae sonnimi osindago bulgogiedaga japchaekkaji junbihageyo?

그럼, 그 정도는 준비해야지.
그럼, 그 정도는 준비해야지.
geureom, geu jeongdoneun junbihaeyaji.

< 설명(说明) / 번역(翻译) >

저녁때 손님+이 오+시+ㄴ다고 불고기+에다가 잡채+까지 준비하+게요?
오신다고

• **저녁때 (名词)** : 저녁밥을 먹는 때.
晚饭时间
吃晚饭的时候。

• **손님 (名词)** : (높임말로) 다른 곳에서 찾아온 사람.
客，客人
(尊称) 从其他地方来的人。

• 이 (助词) : 어떤 상태나 상황의 대상이나 동작의 주체를 나타내는 조사.
无对应词汇
表示行为的主体或状态描述的对象。

• **오다 (动词)** : 무엇이 다른 곳에서 이곳으로 움직이다.
来，来到
从别的地方移动到这个地方。

• -시- (语尾) : 어떤 동작이나 상태의 주체를 높이는 뜻을 나타내는 어미.
无对应词汇
表示对某个动作或状态主体的尊敬。

• -ㄴ다고 (语尾) : 어떤 행위의 목적, 의도를 나타내거나 어떤 상황의 이유, 원인을 나타내는 연결 어미.
无对应词汇
表示某种行为的目的、意图或某种状况的理由、原因。

• **불고기 (名词)** : 얇게 썰어 양념한 돼지고기나 쇠고기를 불에 구운 한국 전통 음식.
烤牛肉，烤肉
韩国传统料理之一，切薄后加入作料烤制出来的猪肉或牛肉。

• 에다가 (助词) : 더해지는 대상을 나타내는 조사.
无对应词汇
表示添加的对象。

• **잡채 (名词)** : 여러 가지 채소와 고기 등을 가늘게 썰어 기름에 볶은 것을 당면과 섞어 만든 음식.
什锦炒粉条，什锦大杂烩
将各种蔬菜和肉类等食材切丝后在油锅里炒熟，再放入粉条拌匀而成的食物。

• 까지 (助词) : 현재의 상태나 정도에서 그 위에 더함을 나타내는 조사.
无对应词汇
表示现在的状态或程度以上。

• **준비하다 (动词)** : 미리 마련하여 갖추다.
准备
事先筹备。

• -게요 (表达) : (두루높임으로) 앞의 내용이 그러하다면 뒤의 내용은 어떠할 것이라고 추측해 물음을 나타내는 표현.
无对应词汇
(普尊) 表示当前面的内容为事实时，推测后面的内容如何而为此质问。

그럼, 그 정도+는 준비하+여야지.
준비해야지

• **그럼 (叹词)** : 말할 것도 없이 당연하다는 뜻으로 대답할 때 쓰는 말.
可不是，就是，当然
用于肯定回答，表示自不必说，没有疑问。

• **그 (冠形词)** : 앞에서 이미 이야기한 대상을 가리킬 때 쓰는 말.
那个
指代前面已经讲过的对象。

• **정도 (名词)** : 사물의 성질이나 가치를 좋고 나쁨이나 더하고 덜한 정도로 나타내는 분량이나 수준.
程度
表现事物的性质或价值好坏或多少的程度的分量或水准。

• 는 (助词) : 강조의 뜻을 나타내는 조사.
无对应词汇
表示强调。

- **준비하다 (动词)** : 미리 마련하여 갖추다.
  准备
  事先筹备。

- -여야지 (语尾) : (두루낮춤으로) 말하는 사람의 결심이나 의지를 나타내는 종결 어미.
  无对应词汇
  (普卑) 表示说话人的决心或意志。

< 대화(聊天) > - 5

장사가 잘됐으면 제가 그만뒀게요?
장사가 잘돼쓰면 제가 그만뒬께요?
jangsaga jaldwaesseumyeon jega geumandwotgeyo?

요즘은 장사하는 사람들이 다 어렵다고 하더라고요.
요즈믄 장사하는 사람드리 다 어렵따고 하더라고요.
yojeumeun jangsahaneun saramdeuri da eoryeopdago hadeoragoyo.

< 설명(说明) / 번역(翻译) >

장사+가 잘되+었으면 제+가 그만두+었+게요?
잘됐으면 그만뒀게요

• **장사 (名词)** : 이익을 얻으려고 물건을 사서 팖. 또는 그런 일.
生意，经商
为获取利益而买卖东西；或指那样的事。

• 가 (助词) : 어떤 상태나 상황에 놓인 대상이나 동작의 주체를 나타내는 조사.
无对应词汇
表示行为的主体或状态描述的对象。

• **잘되다 (动词)** : 어떤 일이나 현상이 좋게 이루어지다.
好，顺利
某事情或现象的结果好。

• -었으면 (表达) : 현재 그렇지 않음을 표현하기 위해 실제 상황과 반대되는 가정을 할 때 쓰는 표현.
无对应词汇
表示为表达现实并非如此而做出与实际情况相反的假设。

• **제 (代词)** : 말하는 사람이 자신을 낮추어 가리키는 말인 '저'에 조사 '가'가 붙을 때의 형태.
我
说话人对自己的谦称"저"后加助词"가"的形态。

• 가 (助词) : 어떤 상태나 상황에 놓인 대상이나 동작의 주체를 나타내는 조사.
无对应词汇
表示行为的主体或状态描述的对象。

• **그만두다 (动词)** : 하던 일을 중간에 그치고 하지 않다.
停住，停
停住正在做的事，不再进行。

• -었- (语尾) : 어떤 사건이 과거에 완료되었거나 그 사건의 결과가 현재까지 지속되는 상황을 나타내는 어미.
无对应词汇
表示某一事件已结束或其结果保持到现在。

• -게요 (表达) : (두루높임으로) 앞의 내용이 사실이라면 당연히 뒤의 내용이 이루어지겠지만 실제로는 그렇지 않음을 나타내는 표현.
无对应词汇
(普尊) 表示如果前面的内容为事实的话，后面的内容理所当然会实现，但事实上并非如此。

요즘+은 장사하+는 사람+들+이 다 어렵+다고 하+더라고요.

• **요즘 (名词)** : 아주 가까운 과거부터 지금까지의 사이.
最近，近来，这阵子
从非常近的过去到现在之间。

• 은 (助词) : 문장 속에서 어떤 대상이 화제임을 나타내는 조사.
无对应词汇
表示某个对象是句中的话题。

• **장사하다 (动词)** : 이익을 얻으려고 물건을 사서 팔다.
做生意，经商
为获取利益而买卖东西。

• -는 (语尾) : 앞의 말이 관형어의 기능을 하게 만들고 사건이나 동작이 현재 일어남을 나타내는 어미.
无对应词汇
使前面的词具有定语功能，表示事件或动作现在正在发生。

• **사람 (名词)** : 특별히 정해지지 않은 자기 외의 남을 가리키는 말.
人们，大家
对没有特别指定的，自己以外的人的称呼。

• 들 (词缀) : '복수'의 뜻을 더하는 접미사.
无对应词汇
指"复数"。

• 이 (助词) : 어떤 상태나 상황의 대상이나 동작의 주체를 나타내는 조사.
无对应词汇
表示行为的主体或状态描述的对象。

- **다 (副词)** : 남거나 빠진 것이 없이 모두.
  全，都
  一点不剩或不落下而全部。

- **어렵다 (形容词)** : 곤란한 일이나 고난이 많다.
  艰难，困难
  有很多难事或苦难。

- -다고 (表达) : 다른 사람에게서 들은 내용을 간접적으로 전달하거나 주어의 생각, 의견 등을 나타내는 표현.
  无对应词汇
  用于间接转述他人所说的话或表达主语的想法、意见等。

- **하다 (动词)** : 무엇에 대해 말하다.
  无对应词汇
  表示引用。

- -더라고요 (表达) : (두루높임으로) 과거에 경험하여 새로 알게 된 사실에 대해 지금 상대방에게 옮겨 전할 때 쓰는 표현.
  无对应词汇
  (普尊) 表示现在向对方转述过去经历所得知的新事实。

< 대화(聊天) > - 6

우리 가족 중에서 누가 가장 늦게 일어나게요?
우리 가족 중에서 누가 가장 늗께 이러나게요?
uri gajok jungeseo nuga gajang neutge ireonageyo?

보나 마나 너겠지, 뭐.
보나 마나 너겓찌, 뭐.
bona mana neogetji, mwo.

< 설명(说明) / 번역(翻译) >

우리 가족 중+에서 누(구)+가 가장 늦+게 일어나+게요?
누가

• **우리 (代词)** : 말하는 사람이 자기보다 높지 않은 사람에게 자기와 관련된 것을 친근하게 나타낼 때 쓰는 말.
我，我们
说话人亲切地指代与自己有关的一些对象。一般对没有自己身份地位高的人使用。

• **가족 (名词)** : 주로 한 집에 모여 살고 결혼이나 부모, 자식, 형제 등의 관계로 이루어진 사람들의 집단. 또는 그 구성원.
家庭，家人
主要指聚在一起生活，由婚姻、父母、子女、兄弟等的关系构成的社会单位；或指其成员。

• **중 (名词)** : 여럿 가운데.
当中
多个中。

• 에서 (助词) : 여럿으로 이루어진 일정한 범위의 안.
无对应词汇
由多个构成的一定范围之内。

• **누구 (代词)** : 모르는 사람을 가리키는 말.
谁
指不认识的人。

• 가 (助词) : 어떤 상태나 상황에 놓인 대상이나 동작의 주체를 나타내는 조사.
无对应词汇
表示行为的主体或状态描述的对象。

• **가장 (副词)** : 여럿 가운데에서 제일로.
最
多个中占第一。

• **늦다 (形容词)** : 기준이 되는 때보다 뒤져 있다.
晚，迟
比作为基准的某个时候还慢。

• -게 (语尾) : 앞의 말이 뒤에서 가리키는 일의 목적이나 결과, 방식, 정도 등이 됨을 나타내는 연결 어미.
无对应词汇
表示前面的内容为后面所指事情的目的、结果、方式或程度等。

• **일어나다 (动词)** : 잠에서 깨어나다.
起，起床，起来
从睡眠中醒来。

• -게요 (表达) : (두루높임으로) 듣는 사람에게 한 번 추측해서 대답해 보라고 물을 때 쓰는 표현.
无对应词汇
(普尊) 表示询问听话人，并让他推测着回答。

보+[나 마나] 너+(이)+겠+지, 뭐.

너겠지

• **보다 (动词)** : 눈으로 대상의 존재나 겉모습을 알다.
看
用眼睛识辨对象的存在或外观。

• -나 마나 (表达) : 그렇게 하나 그렇게 하지 않으나 다름이 없는 상황임을 나타내는 표현.
无对应词汇
表示不管怎样做，结果都一样。

• **너 (代词)** : 듣는 사람이 친구나 아랫사람일 때, 그 사람을 가리키는 말.
你
指代听者，用于朋友或晚辈。

• 이다 (助词) : 주어가 지시하는 대상의 속성이나 부류를 지정하는 뜻을 나타내는 서술격 조사.
无对应词汇
表示指定主语所指示的属性或类型。

• -겠- (语尾) : 미래의 일이나 추측을 나타내는 어미.
无对应词汇
表示将来或推测。

• -지 (语尾) : (두루낮춤으로) 말하는 사람이 자신에 대한 이야기나 자신의 생각을 친근하게 말할 때 쓰는 종결 어미.
无对应词汇
(普卑) 表示说话人亲切地说出自己的故事或想法。

• **뭐 (叹词)** : 사실을 말할 때, 상대의 생각을 가볍게 반박하거나 새롭게 일깨워 주는 뜻으로 하는 말.
无对应词汇
表示对对方想法的轻微反驳或给予新的启发。

< 대화(聊天) > - 7

저 앞 도로에서 무슨 일이 생겼나 봐요. 길이 이렇게 막히게요.
저 압 도로에서 무슨 이리 생견나 봐요. 기리 이러케 마키게요.
jeo ap doroeseo museun iri saenggyeonna bwayo. giri ireoke makigeyo.

사고라도 난 모양이네.
사고라도 난 모양이네.
sagorado nan moyangine.

< 설명(说明) / 번역(翻译) >

저 앞 도로+에서 무슨 일+이 생기+었+[나 보]+아요.
생겼나 봐요

길+이 이렇+게 막히+게요.

• **저 (冠形词)** : 말하는 사람과 듣는 사람에게서 멀리 떨어져 있는 대상을 가리킬 때 쓰는 말.
那
用于指示与话者、听者离得很远的对象。

• **앞 (名词)** : 향하고 있는 쪽이나 곳.
前，前面
所向的一面或地方。

• **도로 (名词)** : 사람이나 차가 잘 다닐 수 있도록 만들어 놓은 길.
道路，公路
供人或车通行而建造的路。

• 에서 (助词) : 앞말이 행동이 이루어지고 있는 장소임을 나타내는 조사.
无对应词汇
表示前面的内容为动作所进行的地点。

• **무슨 (冠形词)** : 확실하지 않거나 잘 모르는 일, 대상, 물건 등을 물을 때 쓰는 말.
什么
用于询问不确定或不知道的事情、对象、东西等。

• **일 (名词)** : 어떤 내용을 가진 상황이나 사실.
事，事情
带有某种内容的情况或事实。

• 이 (助词) : 어떤 상태나 상황의 대상이나 동작의 주체를 나타내는 조사.
无对应词汇
表示行为的主体或状态描述的对象。

• **생기다 (动词)** : 사고나 일, 문제 등이 일어나다.
发生，产生
出现事故或事情、问题等。

• -었- (语尾) : 어떤 사건이 과거에 완료되었거나 그 사건의 결과가 현재까지 지속되는 상황을 나타내는 어미.
无对应词汇
表示某一事件已结束或其结果保持到现在。

• -나 보다 (表达) : 앞의 말이 나타내는 사실을 추측함을 나타내는 표현.
无对应词汇
表示推测前句所指的事实。

• -아요 (语尾) : (두루높임으로) 어떤 사실을 서술하거나 질문, 명령, 권유함을 나타내는 종결 어미.
无对应词汇
(普尊) 表示叙述某个事实，或提问、命令、劝说。**<叙述>**

• **길 (名词)** : 사람이나 차 등이 지나다닐 수 있게 땅 위에 일정한 너비로 길게 이어져 있는 공간.
路，道，道路
供人或车等通行的，以一定宽度延伸的长长的地面上空间。

• 이 (助词) : 어떤 상태나 상황의 대상이나 동작의 주체를 나타내는 조사.
无对应词汇
表示行为的主体或状态描述的对象。

• **이렇다 (形容词)** : 상태, 모양, 성질 등이 이와 같다.
这样
表示状态、样子、性质等与此相同。

• -게 (语尾) : 앞의 말이 뒤에서 가리키는 일의 목적이나 결과, 방식, 정도 등이 됨을 나타내는 연결 어미.
无对应词汇
表示前面的内容为后面所指事情的目的、结果、方式或程度等。

• **막히다 (动词)** : 길에 차가 많아 차가 제대로 가지 못하게 되다.
堵住
由于交通堵塞，车辆无法正常行驶。

• -게요 (表达) : (두루높임으로) 앞 문장의 내용에 대한 근거를 제시할 때 쓰는 표현.
无对应词汇
(普尊) 表示提出前面句子所表达内容的根据。

사고+라도 나+[ㄴ 모양이]+네.
난 모양이네

• **사고 (名词)** : 예상하지 못하게 일어난 좋지 않은 일.
事故
意料之外发生的不好的事情。

• 라도 (助词) : 유사한 것을 예로 들어 설명할 때 쓰는 조사.
无对应词汇
表示举例说明相似对象。

• **나다 (动词)** : 어떤 현상이나 사건이 일어나다.
发生
出现某种现象或事件。

• -ㄴ 모양이다 (表达) : 다른 사실이나 상황으로 보아 현재 어떤 일이 일어났거나 어떤 상태라고 추측함을 나타내는 표현.
无对应词汇
表示根据别的事实或状况推测现在发生的事情或所处的状态。

• -네 (语尾) : (아주낮춤으로) 지금 깨달은 일에 대하여 말함을 나타내는 종결 어미.
无对应词汇
(高卑) 表示现在觉察到的事情。

< 대화(聊天) > - 8

다음 달에 적금을 타면 뭐 하게요?
다음 다레 적끄믈 타면 뭐 하게요?
daeum dare jeokgeumeul tamyeon mwo hageyo?

그걸로 딸아이 피아노 사 주려고 해요.
그걸로 따라이 피아노 사 주려고 해요.
geugeollo ttarai piano sa juryeogo haeyo.

< 설명(说明) / 번역(翻译) >

다음 달+에 적금+을 타+면 뭐 하+게요?

• **다음 (名词)** : 어떤 차례에서 바로 뒤.
下面，下一个
某个次序的后一个。

• **달 (名词)** : 일 년을 열둘로 나누어 놓은 기간.
月
把一年分为十二个的每个时间段。

• 에 (助词) : 앞말이 시간이나 때임을 나타내는 조사.
无对应词汇
表示时间或时候。

• **적금 (名词)** : 은행에 일정한 돈을 일정한 기간 동안 낸 다음에 찾는 저금.
存款
把一定量的钱放在银行一段时间后再去取的存的钱。

• 을 (助词) : 동작이 직접적으로 영향을 미치는 대상을 나타내는 조사.
无对应词汇
表示动作直接涉及的对象。

• **타다 (动词)** : 몫이나 상으로 주는 돈이나 물건을 받다.
领，领取
拿到作为份额或奖励的钱或物品。

• -면 (语尾) : 뒤에 오는 말에 대한 근거나 조건이 됨을 나타내는 연결 어미.
无对应词汇
表示前句为后句的根据或条件。

• **뭐 (代词)** : 모르는 사실이나 사물을 가리키는 말.
什么
指代不知道的事实或事物。

• **하다 (动词)** : 어떤 행동이나 동작, 활동 등을 행하다.
做，干
进行某种行动、动作或活动。

• -게요 (表达) : (두루높임으로) 상대의 의도를 물을 때 쓰는 표현.
无对应词汇
(普尊) 表示询问对方的意图。

그것(그거)+ㄹ로 딸아이 피아노 사+[(아) 주]+[려고 하]+여요.
그걸로 사 주려고 해요

• **그것 (代词)** : 앞에서 이미 이야기한 대상을 가리키는 말.
那个
指代前面已提到过的对象。

• ㄹ로 (助词) : 어떤 일의 수단이나 도구를 나타내는 조사.
无对应词汇
表示某事的手段或工具。

• **딸아이 (名词)** : 남에게 자기 딸을 이르는 말.
女儿
对人称自己的儿子。

• **피아노 (名词)** : 검은색과 흰색 건반을 손가락으로 두드리거나 눌러서 소리를 내는 큰 악기.
钢琴
用手指敲击黑色及白色键盘而发出声响的大型乐器。

• **사다 (动词)** : 돈을 주고 어떤 물건이나 권리 등을 자기 것으로 만들다.
买，购买
用钱使某种东西或权利为己所有。

• -아 주다 (表达) : 남을 위해 앞의 말이 나타내는 행동을 함을 나타내는 표현.
给
表示为别人做前面表达的行为。

• -려고 하다 (表达) : 앞의 말이 나타내는 행동을 할 의도나 의향이 있음을 나타내는 표현.
无对应词汇
表示有要做前面所指行动的意图或意向。

• -여요 (语尾) : (두루높임으로) 어떤 사실을 서술하거나 질문, 명령, 권유함을 나타내는 종결 어미.
无对应词汇
(普尊) 表示叙述某个事实，或提问、命令、劝说。**<叙述>**

< 대화(聊天) > - 9

누가 책상을 치우라고 시켰어요?
누가 책상을 치우라고 시켜써요?
nuga chaeksangeul chiurago sikyeosseoyo?

제가 영수에게 치우게 했습니다.
제가 영수에게 치우게 핻씀니다.
jega yeongsuege chiuge haetseumnida.

< 설명(说明) / 번역(翻译) >

누(구)+가 책상+을 치우+라고 시키+었+어요?
누가 시켰어요

• **누구 (代词)** : 모르는 사람을 가리키는 말.
谁
指不认识的人。

• 가 (助词) : 어떤 상태나 상황에 놓인 대상이나 동작의 주체를 나타내는 조사.
无对应词汇
表示行为的主体或状态描述的对象。

• **책상 (名词)** : 책을 읽거나 글을 쓰거나 사무를 볼 때 앞에 놓고 쓰는 상.
书桌
供阅读或书写或办公用的桌子。

• 을 (助词) : 동작이 직접적으로 영향을 미치는 대상을 나타내는 조사.
无对应词汇
表示动作直接涉及的对象。

• **치우다 (动词)** : 물건을 다른 데로 옮기다.
拿走，拿开，搬走，移开，放下
把东西搬到别的地方去。

• -라고 (表达) : 다른 사람에게 들은 명령이나 권유 등의 내용을 간접적으로 전할 때 쓰는 표현.
无对应词汇
用于间接转述他人所说的命令或劝说等。

• **시키다 (动词)** : 어떤 일이나 행동을 하게 하다.
让，叫
使做某事或某种行为。

• -었- (语尾) : 사건이 과거에 일어났음을 나타내는 어미.
无对应词汇
表示过去。

• -어요 (语尾) : (두루높임으로) 어떤 사실을 서술하거나 질문, 명령, 권유함을 나타내는 종결 어미.
无对应词汇
(普尊) 表示叙述某个事实，或提问、命令、劝说。**<提问>**

제+가 영수+에게 치우+[게 하]+였+습니다.
치우게 했습니다

• **제 (代词)** : 말하는 사람이 자신을 낮추어 가리키는 말인 '저'에 조사 '가'가 붙을 때의 형태.
我
说话人对自己的谦称"저"后加助词"가"的形态。

• 가 (助词) : 어떤 상태나 상황에 놓인 대상이나 동작의 주체를 나타내는 조사.
无对应词汇
表示行为的主体或状态描述的对象。

• **영수 (名词)** : 人名

• 에게 (助词) : 어떤 행동이 미치는 대상임을 나타내는 조사.
无对应词汇
表示某个动作所涉及的对象。

• **치우다 (动词)** : 물건을 다른 데로 옮기다.
拿走，拿开，搬走，移开，放下
把东西搬到别的地方去。

• -게 하다 (表达) : 남에게 어떤 행동을 하도록 시키거나 물건이 어떤 작동을 하게 만듦을 나타내는 표현.
无对应词汇
表示让人做某事，或使某物起动。

• -였- (语尾) : 사건이 과거에 일어났음을 나타내는 어미.
无对应词汇
表示事件发生在过去。

- -습니다 (语尾) : (아주높임으로) 현재의 동작이나 상태, 사실을 정중하게 설명함을 나타내는 종결 어미.
  无对应词汇
  (高尊) 表示以郑重的语气说明现在的动作、状态或事实。

< 대화(聊天) > - 10

어머니가 아직도 여행을 못 가게 하셔?
어머니가 아직또 여행을 몯 가게 하셔?
eomeoniga ajikdo yeohaengeul mot gage hasyeo?

응. 끝까지 허락을 안 해 주실 모양이야.
응. 끋까지 허라글 안 해 주실 모양이야.
eung. kkeutkkaji heorageul an hae jusil moyangiya.

< 설명(说明) / 번역(翻译) >

어머니+가 아직+도 여행+을 못 가+[게 하]+시+어?
가게 하셔

• **어머니 (名词)** : 자기를 낳아 준 여자를 이르거나 부르는 말.
母亲，妈妈
用于指称或称呼生育自己的女子。

• 가 (助词) : 어떤 상태나 상황에 놓인 대상이나 동작의 주체를 나타내는 조사.
无对应词汇
表示行为的主体或状态描述的对象。

• **아직 (副词)** : 어떤 일이나 상태 또는 어떻게 되기까지 시간이 더 지나야 함을 나타내거나, 어떤 일이나 상태가 끝나지 않고 계속 이어지고 있음을 나타내는 말.
尚未，还，仍然
表示某事或状态成为怎么样需要过一段时间， 或者某事或状态不结束继续不断。

• 도 (助词) : 놀라움, 감탄, 실망 등의 감정을 강조함을 나타내는 조사.
无对应词汇
表示强调惊讶、感叹、失望。

• **여행 (名词)** : 집을 떠나 다른 지역이나 외국을 두루 구경하며 다니는 일.
旅行，旅游，游行
离开家，去其他地区或国外游玩的行为。

• 을 (助词) : 그 행동의 목적이 되는 일을 나타내는 조사.
无对应词汇
表示行动的目的。

• **못 (副词)** : 동사가 나타내는 동작을 할 수 없게.
无对应词汇
不会做动词所指的动作。

• **가다 (动词)** : 어떤 목적을 가지고 일정한 곳으로 움직이다.
去，上
为某种目的而向某个地方移动。

• -게 하다 (表达) : 다른 사람의 어떤 행동을 허용하거나 허락함을 나타내는 표현.
无对应词汇
表示允许或同意别人的某种行为。

• -시- (语尾) : 어떤 동작이나 상태의 주체를 높이는 뜻을 나타내는 어미.
无对应词汇
表示对某个动作或状态主体的尊敬。

• -어 (语尾) : (두루낮춤으로) 어떤 사실을 서술하거나 물음, 명령, 권유를 나타내는 종결 어미.
无对应词汇
(普卑) 表示陈述某种事实、询问、命令或劝说。<提问>

응.

끝+까지 허락+을 안 하+[여 주]+시+[ㄹ 모양이]+야.

해 주실 모양이야

• **응 (叹词)** : 상대방의 물음이나 명령 등에 긍정하여 대답할 때 쓰는 말.
是，行
用于肯定回答对方所提出的问题或命令等。

• **끝 (名词)** : 시간에서의 마지막 때.
尽头，最后，终
时间上的最后时刻。

• 까지 (助词) : 어떤 범위의 끝임을 나타내는 조사.
到
表示某种范围的终点。

• **허락 (名词)** : 요청하는 일을 하도록 들어줌.
允许，许可，准许，应许，答应
接受被请求的事情。

• 을 (助词) : 동작이 직접적으로 영향을 미치는 대상을 나타내는 조사.
无对应词汇
表示动作直接涉及的对象。

• **안 (副词)** : 부정이나 반대의 뜻을 나타내는 말.
不
表示否定或反对。

• **하다 (动词)** : 어떤 행동이나 동작, 활동 등을 행하다.
做，干
进行某种行动、动作或活动。

• -여 주다 (表达) : 남을 위해 앞의 말이 나타내는 행동을 함을 나타내는 표현.
给
表示为别人做前面表达的行动。

• -시- (语尾) : 어떤 동작이나 상태의 주체를 높이는 뜻을 나타내는 어미.
无对应词汇
表示对某个动作或状态主体的尊敬。

• -ㄹ 모양이다 (表达) : 다른 사실이나 상황으로 보아 앞으로 어떤 일이 일어나거나 어떤 상태일 것이라고 추측함을 나타내는 표현.
无对应词汇
表示根据别的事实或情况来推测将发生某事或将成为某种状态。

• -야 (语尾) : (두루낮춤으로) 어떤 사실에 대하여 서술하거나 물음을 나타내는 종결 어미.
无对应词汇
(普卑) 表示叙述或询问某个事实。**<叙述>**

< 대화(聊天) > - 11

할머니는 집에 계세요?
할머니는 지베 계세요(게세요)?
halmeonineun jibe gyeseyo(geseyo)?

응. 그런데 주무시고 계시니 깨우지 말고 좀 기다려.
응. 그런데 주무시고 계시니(게시니) 깨우지 말고 좀 기다려.
eung. geureonde jumusigo gyesini(gesini) kkaeuji malgo jom gidaryeo.

< 설명(说明) / 번역(翻译) >

할머니+는 집+에 계시+어요?
계세요

• **할머니 (名词)** : 아버지의 어머니, 또는 어머니의 어머니를 이르거나 부르는 말.
奶奶，姥姥
用于指称或称呼父亲的母亲或母亲的母亲。

• 는 (助词) : 문장 속에서 어떤 대상이 화제임을 나타내는 조사.
无对应词汇
表示文中某个对象成为话题。

• **집 (名词)** : 사람이나 동물이 추위나 더위 등을 막고 그 속에 들어 살기 위해 지은 건물.
房子，窝，巢
人或动物为了遮寒挡暑等，进里面生活而盖的建筑物。

• 에 (助词) : 앞말이 어떤 장소나 자리임을 나타내는 조사.
无对应词汇
表示某个处所或地点。

• **계시다 (动词)** : (높임말로) 높은 분이나 어른이 어느 곳에 있다.
无对应词汇
(尊称) 身份高的人或长辈正在某个地方。

• -어요 (语尾) : (두루높임으로) 어떤 사실을 서술하거나 질문, 명령, 권유함을 나타내는 종결 어미.
无对应词汇
(普尊) 表示叙述某个事实，或提问、命令、劝说。**<提问>**

응.

그런데 주무시+[고 계시]+니 깨우+[지 말]+고 좀 기다리+어.
기다려

• **응 (叹词)** : 상대방의 물음이나 명령 등에 긍정하여 대답할 때 쓰는 말.
是，行
用于肯定回答对方所提出的问题或命令等。

• **그런데 (副词)** : 이야기를 앞의 내용과 관련시키면서 다른 방향으로 바꿀 때 쓰는 말.
可是，可
用于将话题与前面内容相连接的同时，又将话头转向其他方向。

• **주무시다 (动词)** : (높임말로) 자다.
就寝，睡
(尊称) 睡觉。

• -고 계시다 (表达) : (높임말로) 앞의 말이 나타내는 행동이 계속 진행됨을 나타내는 표현.
无对应词汇
(尊称) 表示前面表达的行动持续进行。

• -니 (语尾) : 뒤에 오는 말에 대하여 앞에 오는 말이 원인이나 근거, 전제가 됨을 나타내는 연결 어미.
无对应词汇
表示前句是后句的原因、依据或前提。

• **깨우다 (动词)** : 잠들거나 취한 상태 등에서 벗어나 온전한 정신 상태로 돌아오게 하다.
唤醒，叫醒
使人摆脱睡觉或醉酒的状态，让其恢复清醒的头脑。

• -지 말다 (表达) : 앞의 말이 나타내는 행동을 하지 못하게 함을 나타내는 표현.
无对应词汇
表示禁止进行前面所指的行为。

• -고 (语尾) : 앞의 말과 뒤의 말이 차례대로 일어남을 나타내는 연결 어미.
无对应词汇
表示前后两件事依次发生。

• **좀 (副词)** : 시간이 짧게.
一会儿
时间短暂地。

• **기다리다 (动词)** : 사람, 때가 오거나 어떤 일이 이루어질 때까지 시간을 보내다.
等，等待
直到人、时机到来或某事完成为止，一直打发时间。

• -어 (语尾) : (두루낮춤으로) 어떤 사실을 서술하거나 물음, 명령, 권유를 나타내는 종결 어미.
无对应词汇
(普卑) 表示陈述某种事实、询问、命令或劝说。**<命令>**

< 대화(聊天) > - 12

여기서 산 가방을 환불하고 싶은데 어떻게 하면 되나요?
여기서 산 가방을 환불하고 시픈데 어떠케 하면 되나요?
yeogiseo san gabangeul hwanbulhago sipeunde eotteoke hamyeon doenayo?

네, 손님. 영수증은 가지고 계신가요?
네, 손님. 영수증은 가지고 계신가요(게신가요)?
ne, sonnim. yeongsujeungeun gajigo gyesingayo(gesingayo)?

< 설명(说明) / 번역(翻译) >

여기+서 사+ㄴ 가방+을 환불하+[고 싶]+은데 어떻게 하+[면 되]+나요?
산

• **여기 (代词)** : 말하는 사람에게 가까운 곳을 가리키는 말.
这里，这儿
指代与说话人较近的地方。

• 서 (助词) : 앞말이 행동이 이루어지고 있는 장소임을 나타내는 조사.
无对应词汇
表示前面的内容为动作进行的地点。

• **사다 (动词)** : 돈을 주고 어떤 물건이나 권리 등을 자기 것으로 만들다.
买，购买
用钱使某种东西或权利为己所有。

• -ㄴ (语尾) : 앞의 말이 관형어의 기능을 하게 만들고 사건이나 동작이 과거에 일어났음을 나타내는 어미.
无对应词汇
使前面的词具有定语功能，表示事件或动作过去已经发生。

• **가방 (名词)** : 물건을 넣어 손에 들거나 어깨에 멜 수 있게 만든 것.
包，背包，提包
用来放入物品且可以手提或肩背的东西。

• 을 (助词) : 동작이 직접적으로 영향을 미치는 대상을 나타내는 조사.
无对应词汇
表示动作直接涉及的对象。

• **환불하다 (动词)** : 이미 낸 돈을 되돌려주다.
退款
把交出去的钱又退回去。

• -고 싶다 (表达) : 앞의 말이 나타내는 행동을 하기를 원함을 나타내는 표현.
想，要
表示有做前面行动的意愿。

• -은데 (语尾) : 뒤의 말을 하기 위하여 그 대상과 관련이 있는 상황을 미리 말함을 나타내는 연결 어미.
无对应词汇
表示为了说后面的话而先说与该对象相关的情况。

• **어떻게 (副词)** : 어떤 방법으로. 또는 어떤 방식으로.
怎么
以什么办法；或指以什么方式。

• **하다 (动词)** : 어떤 방식으로 행위를 이루다.
无对应词汇
以某种方式构成行为。

• -면 되다 (表达) : 조건이 되는 어떤 행동을 하거나 어떤 상태만 갖추어지면 문제가 없거나 충분함을 나타내는 표현.
无对应词汇
表示只要做满足条件的某个行动或具备满足条件的某个状态，就没有问题或足够。

• -나요 (表达) : (두루높임으로) 앞의 내용에 대해 상대방에게 물어볼 때 쓰는 표현.
无对应词汇
(普尊) 表示向对方询问前面所指的内容。

네, 손님.

영수증+은 가지+[고 계시]+ㄴ가요?

가지고 계신가요

• **네 (叹词)** : 윗사람의 물음이나 명령 등에 긍정하여 대답할 때 쓰는 말.
是，行
用于肯定回答长辈所提出的问题或命令等。

• **손님 (名词)** : (높임말로) 여관이나 음식점 등의 가게에 찾아온 사람.
客人，顾客
(尊称) 来旅馆或餐厅等店铺的人。

• **영수증 (名词)** : 돈이나 물건을 주고받은 사실이 적힌 종이.
发票
写有交换钱或物品的事实的纸张。

• 은 (助词) : 문장 속에서 어떤 대상이 화제임을 나타내는 조사.
无对应词汇
表示某个对象是句中的话题。

• **가지다 (动词)** : 무엇을 손에 쥐거나 몸에 지니다.
持，带，戴
手里握着或身上携带着某物。

• -고 계시다 (表达) : (높임말로) 앞의 말이 나타내는 행동의 결과가 계속됨을 나타내는 표현.
无对应词汇
(尊称) 表示前面表达的行动的结果持续。

• -ㄴ가요 (语尾) : (두루높임으로) 현재의 사실에 대한 물음을 나타내는 종결 어미.
无对应词汇
(普尊) 表示询问当前的事情。

< 대화(聊天) > - 13

숙제는 다 하고 나서 놀아라.
숙쩨는 다 하고 나서 노라라.
sukjeneun da hago naseo norara.

벌써 다 했어요. 저 놀다 올게요.
벌써 다 해써요. 저 놀다 올께요.
beolsseo da haesseoyo. jeo nolda olgeyo.

< 설명(说明) / 번역(翻译) >

숙제+는 다 하+[고 나]+(아)서 놀+아라.
하고 나서

• **숙제 (名词)** : 학생들에게 복습이나 예습을 위하여 수업 후에 하도록 내 주는 과제.
作业
为了复习或预习，给学生布置的课后功课。

• 는 (助词) : 문장 속에서 어떤 대상이 화제임을 나타내는 조사.
无对应词汇
表示文中某个对象成为话题。

• **다 (副词)** : 남거나 빠진 것이 없이 모두.
全，都
一点不剩或不落下而全部。

• **하다 (动词)** : 어떤 행동이나 동작, 활동 등을 행하다.
做，干
进行某种行动、动作或活动。

• -고 나다 (表达) : 앞에 오는 말이 나타내는 행동이 끝났음을 나타내는 표현.
无对应词汇
表示前面表达的行动已经结束。

• -아서 (语尾) : 앞의 말과 뒤의 말이 순차적으로 일어남을 나타내는 연결 어미.
无对应词汇
表示前后内容依次发生。

• **놀다 (动词)** : 놀이 등을 하면서 재미있고 즐겁게 지내다.
玩耍，玩乐
玩着游戏等度过有趣、愉快的时光。

• -아라 (语尾) : (아주낮춤으로) 명령을 나타내는 종결 어미.
无对应词汇
(高卑) 表示命令。

벌써 다 하+였+어요.
했어요

저 놀+다 오+ㄹ게요.
올게요

• **벌써 (副词)** : 이미 오래전에.
早就，早已
很久前就。

• **다 (副词)** : 남거나 빠진 것이 없이 모두.
全，都
一点不剩或不落下而全部。

• **하다 (动词)** : 어떤 행동이나 동작, 활동 등을 행하다.
做，干
进行某种行动、动作或活动。

• -였- (语尾) : 어떤 사건이 과거에 완료되었거나 그 사건의 결과가 현재까지 지속되는 상황을 나타내는 어미.
无对应词汇
表示某一事件已结束或其结果保持到现在。

• -어요 (语尾) : (두루높임으로) 어떤 사실을 서술하거나 질문, 명령, 권유함을 나타내는 종결 어미.
无对应词汇
(普尊) 表示叙述某个事实，或提问、命令、劝说。**<叙述>**

• **저 (代词)** : 말하는 사람이 듣는 사람에게 자신을 낮추어 가리키는 말.
我
说话人在听话人面前对自己的谦称。

• **놀다 (动词)** : 놀이 등을 하면서 재미있고 즐겁게 지내다.
玩耍，玩乐
玩着游戏等度过有趣、愉快的时光。

• -다 (语尾) : 어떤 행동이나 상태 등이 중단되고 다른 행동이나 상태로 바뀜을 나타내는 연결 어미.
无对应词汇
表示某个动作或状态等中断后转为另一动作或状态。

• **오다 (动词)** : 무엇이 다른 곳에서 이곳으로 움직이다.
来，来到
从别的地方移动到这个地方。

• -ㄹ게요 (表达) : (두루높임으로) 말하는 사람이 어떤 행동을 할 것을 듣는 사람에게 약속하거나 의지를 나타내는 표현.
无对应词汇
(普尊) 表示说话人向听话人约定做某个行为或表达做某个行为的意志。

< 대화(聊天) > - 14

이번 달리기 대회에서 시우가 일 등 할 줄 알았는데.
이번 달리기 대회에서 시우가 일 등 할 쭐 아란는데.
ibeon dalligi daehoeeseo siuga il deung hal jul aranneunde.

그러게, 너무 욕심을 부리다 넘어지고 만 거지.
그러게, 너무 욕씨믈 부리다 너머지고 만 거지.
geureoge, neomu yoksimeul burida neomeojigo man geoji.

< 설명(说明) / 번역(翻译) >

이번 달리기 대회+에서 시우+가 일 등 하+[ㄹ 줄] 알+았+는데.
할 줄

• **이번 (名词)** : 곧 돌아올 차례. 또는 막 지나간 차례.
这次，这回
马上到来的顺序；或指刚过去的顺序。

• **달리기 (名词)** : 일정한 거리를 누가 빨리 뛰는지 겨루는 경기.
赛跑，跑步比赛
在规定距离内比试跑步速度的竞赛。

• **대회 (名词)** : 여러 사람이 실력이나 기술을 겨루는 행사.
比赛，大赛
许多人较量实力或技术的活动。

• 에서 (助词) : 앞말이 행동이 이루어지고 있는 장소임을 나타내는 조사.
无对应词汇
表示前面的内容为动作所进行的地点。

• **시우 (名词)** : 人名

• 가 (助词) : 어떤 상태나 상황에 놓인 대상이나 동작의 주체를 나타내는 조사.
无对应词汇
表示行为的主体或状态描述的对象。

• **일 (冠形词)**：첫 번째의.
第一
第一次的。

• **등 (名词)**：등급이나 등수를 나타내는 단위.
第……名
表示等级或名次的单位。

• **하다 (动词)**：어떠한 결과를 이루어 내다.
获得，取得
实现某种结果。

• -ㄹ 줄 (表达)：어떤 사실이나 상태에 대해 알고 있거나 모르고 있음을 나타내는 표현.
无对应词汇
表示对某件事情或状态知道或不知道。

• **알다 (动词)**：어떤 사실을 그러하다고 여기거나 생각하다.
以为
对于某个事实，认为或觉得如此。

• -았- (语尾)：사건이 과거에 일어났음을 나타내는 어미.
无对应词汇
表示事件发生在过去。

• -는데 (语尾)：(두루낮춤으로) 듣는 사람의 반응을 기대하며 어떤 일에 대해 감탄함을 나타내는 종결 어미.
无对应词汇
(普卑) 表示感叹，同时期待听话人的反应。

그러게, 너무 욕심+을 부리+다 넘어지+[고 말(마)]+[ㄴ 것(거)]+(이)+지.

넘어지고 만 거지

• **그러게 (叹词)**：상대방의 말에 찬성하거나 동의하는 뜻을 나타낼 때 쓰는 말.
就是嘛，可不嘛
用于赞成或同意对方所说的话。

• **너무 (副词)**：일정한 정도나 한계를 훨씬 넘어선 상태로.
太
已超过一定的程度或限度的状态。

• **욕심 (名词)**：무엇을 지나치게 탐내거나 가지고 싶어 하는 마음.
贪，贪心，贪欲
贪得无厌的欲望。

• 을 (助词) : 동작이 직접적으로 영향을 미치는 대상을 나타내는 조사.
无对应词汇
表示动作直接涉及的对象。

• **부리다 (动词)** : 바람직하지 못한 행동이나 성질을 계속 드러내거나 보이다.
耍，起，犯，闹
不断地表现或显示出不正当的行为或脾气。

• -다 (语尾) : 앞에 오는 말이 뒤에 오는 말의 원인이나 근거가 됨을 나타내는 연결 어미.
无对应词汇
表示前句为后句的原因、根据。

• **넘어지다 (动词)** : 서 있던 사람이나 물체가 중심을 잃고 한쪽으로 기울어지며 쓰러지다.
跌倒，倒下，摔倒
站立着的人或物失去重心，倾向一边而倒下。

• -고 말다 (表达) : 앞에 오는 말이 가리키는 행동이 안타깝게도 끝내 일어났음을 나타내는 표현.
无对应词汇
表示前面所指的行动最终还是遗憾地发生了。

• -ㄴ 것 (表达) : 명사가 아닌 것을 문장에서 명사처럼 쓰이게 하거나 '이다' 앞에 쓰일 수 있게 할 때 쓰는 표현.
无对应词汇
用于使非名词的词性在句中用作名词或使其可出现在"이다"前面。

• 이다 (助词) : 주어가 지시하는 대상의 속성이나 부류를 지정하는 뜻을 나타내는 서술격 조사.
无对应词汇
表示指定主语所指示的属性或类型。

• -지 (语尾) : (두루낮춤으로) 말하는 사람이 자신에 대한 이야기나 자신의 생각을 친근하게 말할 때 쓰는 종결 어미.
无对应词汇
(普卑) 表示说话人亲切地说出自己的故事或想法。

< 대화(聊天) > - 15

감독님, 저희 모두가 마지막 경기에 거는 기대가 큽니다.
감동님, 저히 모두가 마지막 경기에 거는 기대가 큼니다.
gamdongnim, jeohi moduga majimak gyeonggie geoneun gidaega keumnida.

네. 마지막 경기는 꼭 승리하고 말겠습니다.
네. 마지막 경기는 꼭 승니하고 말겓씀니다.
ne. majimak gyeongggineun kkok seungnihago malgetseumnida.

< 설명(说明) / 번역(翻译) >

감독+님, 저희 모두+가 마지막 경기+에 걸(거)+는 기대+가 크+ㅂ니다.
거는 큽니다

• **감독 (名词)** : 공연, 영화, 운동 경기 등에서 일의 전체를 지휘하며 책임지는 사람.
教练，导演
在演出、电影、体育比赛等中指挥并负责全盘事宜的人。

• 님 (词缀) : '높임'의 뜻을 더하는 접미사.
无对应词汇
指"敬称"。

• **저희 (代词)** : 말하는 사람이 자기보다 높은 사람에게 자기를 포함한 여러 사람들을 가리키는 말.
我们
说话人指代自己在内的一些人。

• **모두 (名词)** : 남거나 빠진 것이 없는 전체.
全部，所有
一个不剩或一个不漏的全体。

• 가 (助词) : 어떤 상태나 상황에 놓인 대상이나 동작의 주체를 나타내는 조사.
无对应词汇
表示行为的主体或状态描述的对象。

• **마지막 (名词)** : 시간이나 순서의 맨 끝.
最后，最终，末了
在时间上或次序上的末尾。

• **경기 (名词)** : 운동이나 기술 등의 능력을 서로 겨룸.
竞技，比赛，竞赛
互相比较运动或技术等的能力。

• 에 (助词) : 앞말이 어떤 행위나 감정 등의 대상임을 나타내는 조사.
无对应词汇
表示某行为或感情等的对象。

• **걸다 (动词)** : 앞으로의 일에 대한 희망 등을 품거나 기대하다.
寄，寄托
对未来之事抱着希望或期待。

• -는 (语尾) : 앞의 말이 관형어의 기능을 하게 만들고 사건이나 동작이 현재 일어남을 나타내는 어미.
无对应词汇
使前面的词具有定语功能，表示事件或动作现在正在发生。

• **기대 (名词)** : 어떤 일이 이루어지기를 바라며 기다림.
期待，期望
抱着希望等待某事实现。

• 가 (助词) : 어떤 상태나 상황에 놓인 대상이나 동작의 주체를 나타내는 조사.
无对应词汇
表示行为的主体或状态描述的对象。

• **크다 (形容词)** : 어떤 일의 규모, 범위, 정도, 힘 등이 보통 수준을 넘다.
重，重大，严重
某事的规模、范围、程度、力量等都超过了一般水平。

• -ㅂ니다 (语尾) : (아주높임으로) 현재의 동작이나 상태, 사실을 정중하게 설명함을 나타내는 종결 어미.
无对应词汇
(高尊) 表示以郑重的语气说明现在的动作、状态或事实。

네.

마지막 경기+는 꼭 승리하+[고 말]+겠+습니다.

• **네 (叹词)** : 윗사람의 물음이나 명령 등에 긍정하여 대답할 때 쓰는 말.
是，行
用于肯定回答长辈所提出的问题或命令等。

• **마지막 (名词)** : 시간이나 순서의 맨 끝.
最后，最终，末了
在时间上或次序上的末尾。

• **경기 (名词)** : 운동이나 기술 등의 능력을 서로 겨룸.
竞技，比赛，竞赛
互相比较运动或技术等的能力。

• 는 (助词) : 문장 속에서 어떤 대상이 화제임을 나타내는 조사.
无对应词汇
表示文中某个对象成为话题。

• **꼭 (副词)** : 어떤 일이 있어도 반드시.
一定，必定
无论有什么事情也务必。

• **승리하다 (动词)** : 전쟁이나 경기 등에서 이기다.
胜利，取胜
在战争或比赛等中获胜。

• -고 말다 (表达) : 앞에 오는 말이 가리키는 일을 이루고자 하는 말하는 사람의 강한 의지를 나타내는 표현.
无对应词汇
表示说话人想要实现前面所指事情的坚定意志。

• -겠- (语尾) : 말하는 사람의 의지를 나타내는 어미.
无对应词汇
表示说话人的意志。

• -습니다 (语尾) : (아주높임으로) 현재의 동작이나 상태, 사실을 정중하게 설명함을 나타내는 종결 어미.
无对应词汇
(高尊) 表示以郑重的语气说明现在的动作、状态或事实。

< 대화(聊天) > - 16

시간이 지나고 보니 모든 순간이 다 소중한 것 같아.
시가니 지나고 보니 모든 순가니 다 소중한 걸 가타.
sigani jinago boni modeun sungani da sojunghan geot gata.

무슨 일 있어? 갑자기 왜 그런 말을 해?
무슨 일 이써? 갑짜기 왜 그런 마를 해?
museun il isseo? gapjagi wae geureon mareul hae?

< 설명(说明) / 번역(翻译) >

시간+이 지나+[고 보]+니 모든 순간+이 다 소중하+[ㄴ 것 같]+아.
소중한 것 같아

• **시간 (名词)** : 자연히 지나가는 세월.
光阴，时光
自然而然流逝的岁月。

• 이 (助词) : 어떤 상태나 상황의 대상이나 동작의 주체를 나타내는 조사.
无对应词汇
表示行为的主体或状态描述的对象。

• **지나다 (动词)** : 시간이 흘러 그 시기에서 벗어나다.
过，过去
随时间流逝，脱离那个时期。

• -고 보다 (表达) : 앞의 말이 나타내는 행동을 하고 난 후에 뒤의 말이 나타내는 사실을 새로 깨달음을 나타내는 표현.
无对应词汇
表示前面的行动结束以后新发现后面的事实。

• -니 (语尾) : 앞에서 이야기한 내용과 관련된 다른 사실을 이어서 설명할 때 쓰는 연결 어미.
无对应词汇
表示继续说明与前句有关的其他事实。

• **모든 (冠形词)** : 빠지거나 남는 것 없이 전부인.
全，所有
一个不漏或一个不剩，全部的。

• **순간 (名词)** : 아주 짧은 시간 동안.
瞬间，刹那
非常短的时间内。

• 이 (助词) : 어떤 상태나 상황의 대상이나 동작의 주체를 나타내는 조사.
无对应词汇
表示行为的主体或状态描述的对象。

• **다 (副词)** : 남거나 빠진 것이 없이 모두.
全，都
一点不剩或不落下而全部。

• **소중하다 (形容词)** : 매우 귀중하다.
珍贵
非常宝贵。

• -ㄴ 것 같다 (表达) : 추측을 나타내는 표현.
无对应词汇
表示推测。

• -아 (语尾) : (두루낮춤으로) 어떤 사실을 서술하거나 물음, 명령, 권유를 나타내는 종결 어미.
无对应词汇
(普卑) 表示陈述、询问、命令或劝说某种事实。<叙述>

무슨 일 있+어?

갑자기 왜 그런 말+을 하+여?

해

• **무슨 (冠形词)** : 확실하지 않거나 잘 모르는 일, 대상, 물건 등을 물을 때 쓰는 말.
什么
用于询问不确定或不知道的事情、对象、东西等。

• **일 (名词)** : 해결하거나 처리해야 할 문제나 사항.
事，工作
需要解决或处理的问题或事项。

• **있다 (形容词)** : 어떤 사람에게 무슨 일이 생긴 상태이다.
有，起
在某人身上发生某件事情。

• -어 (语尾) : (두루낮춤으로) 어떤 사실을 서술하거나 물음, 명령, 권유를 나타내는 종결 어미.
无对应词汇
(普卑) 表示陈述某种事实、询问、命令或劝说。**<提问>**

• **갑자기 (副词)** : 미처 생각할 틈도 없이 빨리.
突然，忽然，猛地，一下子
来不及想，很快地。

• **왜 (副词)** : 무슨 이유로. 또는 어째서.
为什么
因什么原因；或指怎么。

• **그런 (冠形词)** : 상태, 모양, 성질 등이 그러한.
那种，那样
状态、模样、性质等那个样子的。

• **말 (名词)** : 생각이나 느낌을 표현하고 전달하는 사람의 소리.
声，声音
表达想法或感觉的人的声响。

• 을 (助词) : 동작이 직접적으로 영향을 미치는 대상을 나타내는 조사.
无对应词汇
表示动作直接涉及的对象。

• **하다 (动词)** : 어떤 행동이나 동작, 활동 등을 행하다.
做，干
进行某种行动、动作或活动。

• -여 (语尾) : (두루낮춤으로) 어떤 사실을 서술하거나 물음, 명령, 권유를 나타내는 종결 어미.
无对应词汇
(普卑) 表示陈述某种事实、询问、命令或劝说。**<提问>**

< 대화(聊天) > - 17

날씨가 추우니까 따뜻한 게 먹고 싶네.
날씨가 추우니까 따뜨탄 게 먹꼬 심네.
nalssiga chuunikka ttatteutan ge meokgo simne.

그럼 오늘 점심은 삼계탕을 먹으러 갈까?
그럼 오늘 점시믄 삼계탕을(삼게탕을) 머그러 갈까?
geureom oneul jeomsimeun samgyetangeul(samgetangeul) meogeureo galkka?

< 설명(说明) / 번역(翻译) >

날씨+가 춥(추우)+니까 따뜻하+[ㄴ 것(거)]+이 먹+[고 싶]+네.
추우니까 따뜻한 게

• **날씨 (名词)** : 그날그날의 기온이나 공기 중에 비, 구름, 바람, 안개 등이 나타나는 상태.
天气
每天在气温或空气中出现的，如雨、云、风、雾等的状况。

• 가 (助词) : 어떤 상태나 상황에 놓인 대상이나 동작의 주체를 나타내는 조사.
无对应词汇
表示行为的主体或状态描述的对象。

• **춥다 (形容词)** : 대기의 온도가 낮다.
冷
大气温度低。

• -니까 (语尾) : 뒤에 오는 말에 대하여 앞에 오는 말이 원인이나 근거, 전제가 됨을 강조하여 나타내는 연결 어미.
无对应词汇
表示强调前句为后句的原因、依据或前提。

• **따뜻하다 (形容词)** : 아주 덥지 않고 기분이 좋은 정도로 온도가 알맞게 높다.
暖和
温度适中，不觉得太热，达到心情舒适的程度。

• -ㄴ 것 (表达) : 명사가 아닌 것을 문장에서 명사처럼 쓰이게 하거나 '이다' 앞에 쓰일 수 있게 할 때 쓰는 표현.
无对应词汇
用于使非名词的词性在句中用作名词或使其可出现在"이다"前面。

• 이 (助词) : 어떤 상태나 상황의 대상이나 동작의 주체를 나타내는 조사.
无对应词汇
表示行为的主体或状态描述的对象。

• **먹다 (动词)** : 음식 등을 입을 통하여 배 속에 들여보내다.
吃
将食物送进口中并咽下。

• -고 싶다 (表达) : 앞의 말이 나타내는 행동을 하기를 원함을 나타내는 표현.
想，要
表示有做前面行动的意愿。

• -네 (语尾) : (예사 낮춤으로) 단순한 서술을 나타내는 종결 어미.
无对应词汇
(轻卑) 表示单纯的陈述。

그럼 오늘 점심+은 삼계탕+을 먹+으러 가+ㄹ까?
갈까

• **그럼 (副词)** : 앞의 내용을 받아들이거나 그 내용을 바탕으로 하여 새로운 주장을 할 때 쓰는 말.
那么，既然那样
用于表示接受前文内容，或以前文为基础，提出新的主张。

• **오늘 (名词)** : 지금 지나가고 있는 이날.
今天，今日
现在正在度过的这一天。

• **점심 (名词)** : 아침과 저녁 식사 중간에, 낮에 하는 식사.
中饭，午饭，午餐
早餐和晚餐之间，白天吃的饭。

• 은 (助词) : 문장 속에서 어떤 대상이 화제임을 나타내는 조사.
无对应词汇
表示某个对象是句中的话题。

• **삼계탕 (名词)** : 어린 닭에 인삼, 찹쌀, 대추 등을 넣고 푹 삶은 음식.
参鸡汤
童子鸡里放进人参、糯米、大枣等而煮得烂熟的食物。

• 을 (助词) : 동작이 직접적으로 영향을 미치는 대상을 나타내는 조사.
无对应词汇
表示动作直接涉及的对象。

• **먹다 (动词)** : 음식 등을 입을 통하여 배 속에 들여보내다.
吃
将食物送进口中并咽下。

• -으러 (语尾) : 가거나 오거나 하는 동작의 목적을 나타내는 연결 어미.
无对应词汇
表示移动的目的。

• **가다 (动词)** : 어떤 목적을 가지고 일정한 곳으로 움직이다.
去，上
为某种目的而向某个地方移动。

• -ㄹ까 (语尾) : (두루낮춤으로) 듣는 사람의 의사를 물을 때 쓰는 종결 어미.
无对应词汇
(普卑) 表示询问听话人的想法。

< 대화(聊天) > - 18

아들이 자꾸 컴퓨터를 새로 사 달라고 해요.
아드리 자꾸 컴퓨터를 새로 사 달라고 해요.
adeuri jakku keompyuteoreul saero sa dallago haeyo.

그렇게 갖고 싶어 하는데 하나 사 줘요.
그러케 갇꼬 시퍼 하는데 하나 사 줘요.
geureoke gatgo sipeo haneunde hana sa jwoyo.

< 설명(说明) / 번역(翻译) >

아들+이 자꾸 컴퓨터+를 새로 사+[(아) 달]+라고 하+여요.
사 달라고 해요

• **아들 (名词)** : 남자인 자식.
儿子
男性子女。

• 이 (助词) : 어떤 상태나 상황의 대상이나 동작의 주체를 나타내는 조사.
无对应词汇
表示行为的主体或状态描述的对象。

• **자꾸 (副词)** : 여러 번 계속하여.
一直，总是
多次连续地。

• **컴퓨터 (名词)** : 전자 회로를 이용하여 문서, 사진, 영상 등의 대량의 데이터를 빠르고 정확하게 처리하는 기계.
电脑
利用电路线快速、准确地处理文件、照片、影像等大量数据的机器。

• 를 (助词) : 동작이 직접적으로 영향을 미치는 대상을 나타내는 조사.
无对应词汇
表示动作直接涉及的对象。

• **새로 (副词)** : 전과 달리 새롭게. 또는 새것으로.
重新
与以前不同，全新地；或用新的。

• **사다 (动词)** : 돈을 주고 어떤 물건이나 권리 등을 자기 것으로 만들다.
买，购买
用钱使某种东西或权利为己所有。

• -아 달다 (表达) : 앞의 말이 나타내는 행동을 해 줄 것을 요구함을 나타내는 표현.
无对应词汇
表示要求做前面所指的行动。

• -라고 (表达) : 다른 사람에게 들은 명령이나 권유 등의 내용을 간접적으로 전할 때 쓰는 표현.
无对应词汇
用于间接转述他人所说的命令或劝说等。

• **하다 (动词)** : 무엇에 대해 말하다.
无对应词汇
表示引用。

• -여요 (语尾) : (두루높임으로) 어떤 사실을 서술하거나 질문, 명령, 권유함을 나타내는 종결 어미.
无对应词汇
(普尊) 表示叙述某个事实，或提问、命令、劝说。<叙述>

그렇+게 갖+[고 싶어 하]+는데 하나 사+[(아) 주]+어요.
사 줘요

• **그렇다 (形容词)** : 상태, 모양, 성질 등이 그와 같다.
那样
表示状态、样子、性质等与此相同。

• -게 (语尾) : 앞의 말이 뒤에서 가리키는 일의 목적이나 결과, 방식, 정도 등이 됨을 나타내는 연결 어미.
无对应词汇
表示前面的内容为后面所指事情的目的、结果、方式或程度等。

• **갖다 (动词)** : 자기 것으로 하다.
拥有，得到
占为己有。

• -고 싶어 하다 (表达) : 앞의 말이 나타내는 행동을 하기를 바라거나 그렇게 되기를 원함을 나타내는 표현.
无对应词汇
表示希望做前面的行动或愿意成为那样。

• -는데 (语尾) : 뒤의 말을 하기 위하여 그 대상과 관련이 있는 상황을 미리 말함을 나타내는 연결 어미.
无对应词汇
表示为了说后面的话而先说与其相关的状况。

• **하나 (数词)** : 숫자를 셀 때 맨 처음의 수.
一
数数时的第一个数字。

• **사다 (动词)** : 돈을 주고 어떤 물건이나 권리 등을 자기 것으로 만들다.
买，购买
用钱使某种东西或权利为己所有。

• -아 주다 (表达) : 남을 위해 앞의 말이 나타내는 행동을 함을 나타내는 표현.
给
表示为别人做前面表达的行为。

• -어요 (语尾) : (두루높임으로) 어떤 사실을 서술하거나 질문, 명령, 권유함을 나타내는 종결 어미.
无对应词汇
(普尊) 表示叙述某个事实，或提问、命令、劝说。**<命令>**

< 대화(聊天) > - 19

출발했니? 언제쯤 도착할 것 같아?
출발핸니? 언제쯤 도차칼 껃 가타?
chulbalhaenni? eonjejjeum dochakal geot gata?

지금 가고 있으니까 십 분쯤 뒤에 도착할 거야.
지금 가고 이쓰니까 십 분쯤 뒤에 도차칼 꺼야.
jigeum gago isseunikka sip bunjjeum dwie dochakal geoya.

< 설명(说明) / 번역(翻译) >

출발하+였+니?
출발했니

언제+쯤 도착하+[ㄹ 것 같]+아?
도착할 것 같아

• **출발하다 (动词)** : 어떤 곳을 향하여 길을 떠나다.
出发
离开原地向某处去。

• -였- (语尾) : 어떤 사건이 과거에 완료되었거나 그 사건의 결과가 현재까지 지속되는 상황을 나타내는 어미.
无对应词汇
表示某一事件已结束或其结果保持到现在。

• -니 (语尾) : (아주낮춤으로) 물음을 나타내는 종결 어미.
无对应词汇
(高卑) 表示询问。

• **언제 (代词)** : 알지 못하는 어느 때.
什么时候
不知道的某时。

• 쯤 (词缀) : ‘정도’의 뜻을 더하는 접미사.
无对应词汇
指“程度”。

• **도착하다 (动词)** : 목적지에 다다르다.
到达
抵达目的地。

• -ㄹ 것 같다 (表达) : 추측을 나타내는 표현.
无对应词汇
表示推测。

• -아 (语尾) : (두루낮춤으로) 어떤 사실을 서술하거나 물음, 명령, 권유를 나타내는 종결 어미.
无对应词汇
(普卑) 表示陈述、询问、命令或劝说某种事实。**<提问>**

지금 가+[고 있]+으니까 십 분+쯤 뒤+에 도착하+[ㄹ 것(거)]+(이)+야.
도착할 거야

• **지금 (副词)** : 말을 하고 있는 바로 이때에. 또는 그 즉시에.
现在，这会儿
在说话的当时；或此时此刻。

• **가다 (动词)** : 한 곳에서 다른 곳으로 장소를 이동하다.
去
从一个地方移动到另一个地方。

• -고 있다 (表达) : 앞의 말이 나타내는 행동이 계속 진행됨을 나타내는 표현.
正，在，正在
表示持续进行前一句所指的行为。

• -으니까 (语尾) : 뒤에 오는 말에 대하여 앞에 오는 말이 원인이나 근거, 전제가 됨을 강조하여 나타내는 연결 어미.
无对应词汇
表示强调前句为后句的原因、依据或前提。

• **십 (冠形词)** : 열의.
十
十的。

• **분 (名词)** : 한 시간의 60분의 1을 나타내는 시간의 단위.
分，分钟
计时单位，表示一个小时的六十分之一。

• 쯤 (词缀) : '정도'의 뜻을 더하는 접미사.
无对应词汇
指"程度"。

• **뒤 (名词)** : 시간이나 순서상으로 다음이나 나중.
后，之后，后来
在时间或顺序上，以后或下次。

• 에 (助词) : 앞말이 시간이나 때임을 나타내는 조사.
无对应词汇
表示时间或时候。

• **도착하다 (动词)** : 목적지에 다다르다.
到达
抵达目的地。

• -ㄹ 것 (表达) : 명사가 아닌 것을 문장에서 명사처럼 쓰이게 하거나 '이다' 앞에 쓰일 수 있게 할 때 쓰는 표현.
无对应词汇
用于使非名词在句中用作名词或使其能用在"이다"前面。

• 이다 (助词) : 주어가 지시하는 대상의 속성이나 부류를 지정하는 뜻을 나타내는 서술격 조사.
无对应词汇
表示指定主语所指示的属性或类型。

• -야 (语尾) : (두루낮춤으로) 어떤 사실에 대하여 서술하거나 물음을 나타내는 종결 어미.
无对应词汇
(普卑) 表示叙述或询问某个事实。**<叙述>**

< 대화(聊天) > - 20

넌 안경을 쓰고 있을 때 더 멋있어 보인다.
넌 안경을 쓰고 이쓸 때 더 머시써 보인다.
neon angyeongeul sseugo isseul ttae deo meosisseo boinda.

그래? 이제부터 계속 쓰고 다닐까 봐.
그래? 이제부터 계속(게속) 쓰고 다닐까 봐.
geurae? ijebuteo gyesok(gesok) sseugo danilkka bwa.

< 설명(说明) / 번역(翻译) >

너+는 안경+을 쓰+[고 있]+[을 때] 더 멋있+[어 보이]+ㄴ다.
넌 멋있어 보인다

• **너 (代词)** : 듣는 사람이 친구나 아랫사람일 때, 그 사람을 가리키는 말.
你
指代听者，用于朋友或晚辈。

• 는 (助词) : 문장 속에서 어떤 대상이 화제임을 나타내는 조사.
无对应词汇
表示文中某个对象成为话题。

• **안경 (名词)** : 눈을 보호하거나 시력이 좋지 않은 사람이 잘 볼 수 있도록 눈에 쓰는 물건.
眼镜
用来保护眼睛或者让视力不好的人看清楚的东西。

• 을 (助词) : 동작이 직접적으로 영향을 미치는 대상을 나타내는 조사.
无对应词汇
表示动作直接涉及的对象。

• **쓰다 (动词)** : 얼굴에 어떤 물건을 걸거나 덮어쓰다.
戴
将某物挂或罩在脸上。

• -고 있다 (表达) : 앞의 말이 나타내는 행동의 결과가 계속됨을 나타내는 표현.
无对应词汇
表示前面所指行为的结果将持续。

• -을 때 (表达) : 어떤 행동이나 상황이 일어나는 동안이나 그 시기 또는 그러한 일이 일어난 경우를 나타내는 표현.
无对应词汇
表示某种行动或状况发生的期间、时期或情况。

• **더 (副词)** : 비교의 대상이나 어떤 기준보다 정도가 크게, 그 이상으로.
更，更加
与比较对象或某个标准相比，程度加深；在那之上。

• **멋있다 (形容词)** : 매우 좋거나 훌륭하다.
帅气，优秀
很好或很出众。

• -어 보이다 (表达) : 겉으로 볼 때 앞의 말이 나타내는 것처럼 느껴지거나 추측됨을 나타내는 표현.
看起来，看上去
表示从表面上能感觉到或能猜到前面表达的内容。

• -ㄴ다 (语尾) : (아주낮춤으로) 현재 사건이나 사실을 서술함을 나타내는 종결 어미.
无对应词汇
(高卑) 表示对现在事件或事实的叙述。

그래?

이제+부터 계속 쓰+고 다니+[ㄹ까 보]+아.
다닐까 봐

• **그래 (叹词)** : 상대편의 말에 대한 감탄이나 가벼운 놀라움을 나타낼 때 쓰는 말.
真的
用于对对方所说的话表示感叹或轻微的惊讶。

• **이제 (名词)** : 말하고 있는 바로 이때.
现在
说话的同时。

• 부터 (助词) : 어떤 일의 시작이나 처음을 나타내는 조사.
从
表示某事的开始或起始。

• **계속 (副词)** : 끊이지 않고 잇따라.
继续，持续
连续不中断。

• **쓰다 (动词)** : 얼굴에 어떤 물건을 걸거나 덮어쓰다.
戴
将某物挂或罩在脸上。

• -고 (语尾) : 앞의 말이 나타내는 행동이나 그 결과가 뒤에 오는 행동이 일어나는 동안에 그대로 지속됨을 나타내는 연결 어미.
无对应词汇
表示前面的动作或其结果在后面动作进行的过程中一直持续。

• **다니다 (动词)** : 이리저리 오고 가다.
来往，走遍，
到处走动。

• -ㄹ까 보다 (表达) : 앞에 오는 말이 나타내는 행동을 할 의도가 있음을 나타내는 표현.
无对应词汇
表示有做前面行动的意图。

• -아 (语尾) : (두루낮춤으로) 어떤 사실을 서술하거나 물음, 명령, 권유를 나타내는 종결 어미.
无对应词汇
(普卑) 表示陈述、询问、命令或劝说某种事实。**<叙述>**

< 대화(聊天) > - 21

이건 어렸을 때 찍은 제 가족 사진이에요.
이건 어려쓸 때 찌근 제 가족 사지니에요.
igeon eoryeosseul ttae jjigeun je gajok sajinieyo.

시우 씨 어렸을 때는 키가 작고 통통했군요.
시우 씨 어려쓸 때는 키가 작꼬 통통핻꾸뇨.
siu ssi eoryeosseul ttaeneun kiga jakgo tongtonghaetgunyo.

< 설명(说明) / 번역(翻译) >

이것(이거)+은 어리+었+[을 때] 찍+은 저+의 가족 사진+이+에요.
이건 어렸을 때 제

• **이것 (代词)** : 말하는 사람에게 가까이 있거나 말하는 사람이 생각하고 있는 것을 가리키는 말.
这个
指代与说话人较近或说话人所想的东西。

• 은 (助词) : 문장 속에서 어떤 대상이 화제임을 나타내는 조사.
无对应词汇
表示某个对象是句中的话题。

• **어리다 (形容词)** : 나이가 적다.
年轻
年纪小。

• -었- (语尾) : 사건이 과거에 일어났음을 나타내는 어미.
无对应词汇
表示过去。

• -을 때 (表达) : 어떤 행동이나 상황이 일어나는 동안이나 그 시기 또는 그러한 일이 일어난 경우를 나타내는 표현.
无对应词汇
表示某种行动或状况发生的期间、时期或情况。

• **찍다 (动词)** : 어떤 대상을 카메라로 비추어 그 모양을 필름에 옮기다.
拍，拍摄
用照相机照射某个物品，把其样子移动到胶片上。

• -은 (语尾) : 앞의 말이 관형어의 기능을 하게 만들고 사건이나 동작이 과거에 일어났음을 나타내는 어미.
无对应词汇
使前面的词具有定语功能，表示事件或动作过去已经发生。

• **저 (代词)** : 말하는 사람이 듣는 사람에게 자신을 낮추어 가리키는 말.
我
说话人在听话人面前对自己的谦称。

• 의 (助词) : 앞의 말이 뒤의 말에 대하여 소유, 소속, 소재, 관계, 기원, 주체의 관계를 가짐을 나타내는 조사.
的
表示所有、所属、所在、关系、来源、主体等关系。

• **가족 (名词)** : 주로 한 집에 모여 살고 결혼이나 부모, 자식, 형제 등의 관계로 이루어진 사람들의 집단. 또는 그 구성원.
家庭，家人
主要指聚在一起生活，由婚姻、父母、子女、兄弟等的关系构成的社会单位；或指其成员。

• **사진 (名词)** : 사물의 모습을 오래 보존할 수 있도록 사진기로 찍어 종이나 컴퓨터 등에 나타낸 영상.
照片，相片
为将事物的样子长久保存下来而用照相机拍下后在纸或电脑等上显现出的影像。

• 이다 (助词) : 주어가 지시하는 대상의 속성이나 부류를 지정하는 뜻을 나타내는 서술격 조사.
无对应词汇
表示指定主语所指示的属性或类型。

• -에요 (语尾) : (두루높임으로) 어떤 사실을 서술하거나 질문함을 나타내는 종결 어미.
无对应词汇
(普尊) 表示叙述或询问某个事实。**<叙述>**

시우 씨 어리+었+[을 때]+는 키+가 작+고 통통하+였+군요.
어렸을 때는 통통했군요

• **시우 (名词)** : 人名

• **씨 (名词)** : 그 사람을 높여 부르거나 이르는 말.
无对应词汇
用于称呼或指称前面的人，表示尊敬。

• **어리다 (形容词)** : 나이가 적다.
年轻
年纪小。

• -었- (语尾) : 사건이 과거에 일어났음을 나타내는 어미.
无对应词汇
表示过去。

• -을 때 (表达) : 어떤 행동이나 상황이 일어나는 동안이나 그 시기 또는 그러한 일이 일어난 경우를 나타내는 표현.
无对应词汇
表示某种行动或状况发生的期间、时期或情况。

• 는 (助词) : 어떤 대상이 다른 것과 대조됨을 나타내는 조사.
无对应词汇
表示某个对象与另一个形成对照。

• **키 (名词)** : 사람이나 동물이 바로 섰을 때의 발에서부터 머리까지의 몸의 길이.
身高，身长，个子，个儿，个头儿
人或动物站直时从脚到头的身体的长度。

• 가 (助词) : 어떤 상태나 상황에 놓인 대상이나 동작의 주체를 나타내는 조사.
无对应词汇
表示行为的主体或状态描述的对象。

• **작다 (形容词)** : 길이, 넓이, 부피 등이 다른 것이나 보통보다 덜하다.
小， 矮
长度、宽度、体积等少于其他或一般尺寸。

• -고 (语尾) : 두 가지 이상의 대등한 사실을 나열할 때 쓰는 연결 어미.
无对应词汇
表示罗列两个以上的对等的事实。

• **통통하다 (形容词)** : 키가 작고 살이 쪄서 몸이 옆으로 퍼져 있다.
胖乎乎，胖嘟嘟
个子矮小、身上长肉而横向发福。

• -였- (语尾) : 사건이 과거에 일어났음을 나타내는 어미.
无对应词汇
表示事件发生在过去。

• -군요 (表达) : (두루높임으로) 새롭게 알게 된 사실에 주목하거나 감탄함을 나타내는 표현.
无对应词汇
(普尊) 表示关注或感叹新发现的事实。

< 대화(聊天) > - 22

꼼꼼한 지우 씨도 어제 큰 실수를 했나 봐요.
꼼꼼한 지우 씨도 어제 큰 실쑤를 핸나 봐요.
kkomkkomhan jiu ssido eoje keun silsureul haenna bwayo.

아무리 꼼꼼한 사람이라도 서두르면 실수하기 쉽지요.
아무리 꼼꼼한 사라미라도 서두르면 실쑤하기 쉽찌요.
amuri kkomkkomhan saramirado seodureumyeon silsuhagi swipjiyo.

< 설명(说明) / 번역(翻译) >

꼼꼼하+ㄴ 지우 씨+도 어제 크+ㄴ 실수+를 하+였+[나 보]+아요.
꼼꼼한 큰 했나 봐요

• **꼼꼼하다 (形容词)** : 빈틈이 없이 자세하고 차분하다.
细密，细致
很细心，很沉着，毫无漏洞。

• -ㄴ (语尾) : 앞의 말이 관형어의 기능을 하게 만들고 현재의 상태를 나타내는 어미.
无对应词汇
使前面的词具有定语功能，表示现在的状态。

• **지우 (名词)** : 人名

• **씨 (名词)** : 그 사람을 높여 부르거나 이르는 말.
无对应词汇
用于称呼或指称前面的人，表示尊敬。

• 도 (助词) : 이미 있는 어떤 것에 다른 것을 더하거나 포함함을 나타내는 조사.
无对应词汇
表示添加或包括。

• **어제 (副词)** : 오늘의 하루 전날에.
昨天，昨日
在今天的前一天。

• **크다 (形容词)** : 어떤 일의 규모, 범위, 정도, 힘 등이 보통 수준을 넘다.
重，重大，严重
某事的规模、范围、程度、力量等都超过了一般水平。

• -ㄴ (语尾) : 앞의 말이 관형어의 기능을 하게 만들고 현재의 상태를 나타내는 어미.
无对应词汇
使前面的词具有定语功能，表示现在的状态。

• **실수 (名词)** : 잘 알지 못하거나 조심하지 않아서 저지르는 잘못.
失手，失误
因不了解或不小心而犯的错误。

• 를 (助词) : 동작이 직접적으로 영향을 미치는 대상을 나타내는 조사.
无对应词汇
表示动作直接涉及的对象。

• **하다 (动词)** : 어떤 행동이나 동작, 활동 등을 행하다.
做，干
进行某种行动、动作或活动。

• -였- (语尾) : 사건이 과거에 일어났음을 나타내는 어미.
无对应词汇
表示事件发生在过去。

• -나 보다 (表达) : 앞의 말이 나타내는 사실을 추측함을 나타내는 표현.
无对应词汇
表示推测前句所指的事实。

• -아요 (语尾) : (두루높임으로) 어떤 사실을 서술하거나 질문, 명령, 권유함을 나타내는 종결 어미.
无对应词汇
(普尊) 表示叙述某个事实，或提问、命令、劝说。**<叙述>**

아무리 꼼꼼하+ㄴ 사람+이라도 서두르+면 실수하+[기가 쉽]+지요.
꼼꼼한

• **아무리 (副词)** : 정도가 매우 심하게.
怎么
程度非常深地。

• **꼼꼼하다 (形容词)** : 빈틈이 없이 자세하고 차분하다.
细密，细致
很细心，很沉着，毫无漏洞。

• -ㄴ (语尾) : 앞의 말이 관형어의 기능을 하게 만들고 현재의 상태를 나타내는 어미.
无对应词汇
使前面的词具有定语功能，表示现在的状态。

• **사람 (名词)** : 생각할 수 있으며 언어와 도구를 만들어 사용하고 사회를 이루어 사는 존재.
人
可以思考，会制造并使用语言和工具、构成社会而生活的存在。

• 이라도 (助词) : 다른 경우들과 마찬가지임을 나타내는 조사.
无对应词汇
表示和其他情况一样。

• **서두르다 (动词)** : 일을 빨리하려고 침착하지 못하고 급하게 행동하다.
着急，操之过急
为了快点做某事而不沉着、忙于行动。

• -면 (语尾) : 뒤에 오는 말에 대한 근거나 조건이 됨을 나타내는 연결 어미.
无对应词汇
表示前句为后句的根据或条件。

• **실수하다 (动词)** : 잘 알지 못하거나 조심하지 않아서 잘못을 저지르다.
失手，失误
因不清楚或不小心而犯下错误。

• -기가 쉽다 (表达) : 앞의 말이 나타내는 행위를 하거나 그런 상태가 될 가능성이 많음을 나타내는 표현.
易于
表示做前句所指的行为或成为那种状态的可能性很大。

• -지요 (语尾) : (두루높임으로) 말하는 사람이 자신에 대한 이야기나 자신의 생각을 친근하게 말할 때 쓰는 종결 어미.
无对应词汇
(普尊) 表示说话人亲切地说出自己的故事或想法。

< 대화(聊天) > - 23

방이 되게 좁은 줄 알았는데 이렇게 보니 괜찮네.
방이 되게 조븐 줄 아란는데 이러케 보니 괜찬네.
bangi doege jobeun jul aranneunde ireoke boni gwaenchanne.

좁은 공간도 꾸미기 나름이야.
조븐 공간도 꾸미기 나르미야.
jobeun gonggando kkumigi nareumiya.

< 설명(说明) / 번역(翻译) >

방+이 되게 좁+[은 줄] 알+았+는데 이렇+게 보+니 괜찮+네.

• **방 (名词)** : 사람이 살거나 일을 하기 위해 벽을 둘러서 막은 공간.
房间
人为了生活或工作而用墙壁围绕和外界隔绝的空间。

• 이 (助词) : 어떤 상태나 상황의 대상이나 동작의 주체를 나타내는 조사.
无对应词汇
表示行为的主体或状态描述的对象。

• **되게 (副词)** : 아주 몹시.
很，极了
非常，十分。

• **좁다 (形容词)** : 면이나 바닥 등의 면적이 작다.
窄小
面或底部等的面积小。

• -은 줄 (表达) : 어떤 사실이나 상태에 대해 알고 있거나 모르고 있음을 나타내는 표현.
无对应词汇
表示知道或不知道某个事实或状态。

• **알다 (动词)** : 어떤 사실을 그러하다고 여기거나 생각하다.
以为
对于某个事实，认为或觉得如此。

• -았 (语尾) : 사건이 과거에 일어났음을 나타내는 어미.
无对应词汇
表示事件发生在过去。

• -는데 (语尾) : 뒤의 말을 하기 위하여 그 대상과 관련이 있는 상황을 미리 말함을 나타내는 연결 어미.
无对应词汇
表示为了说后面的话而先说与其相关的状况。

• **이렇다 (形容词)** : 상태, 모양, 성질 등이 이와 같다.
这样
表示状态、样子、性质等与此相同。

• -게 (语尾) : 앞의 말이 뒤에서 가리키는 일의 목적이나 결과, 방식, 정도 등이 됨을 나타내는 연결 어미.
无对应词汇
表示前面的内容为后面所指事情的目的、结果、方式或程度等。

• **보다 (动词)** : 대상의 내용이나 상태를 알기 위하여 살피다.
照，看
为了了解某对象的内容或状态而进行观察。

• -니 (语尾) : 뒤에 오는 말에 대하여 앞에 오는 말이 원인이나 근거, 전제가 됨을 나타내는 연결 어미.
无对应词汇
表示前句是后句的原因、依据或前提。

• **괜찮다 (形容词)** : 꽤 좋다.
不错
挺好。

• -네 (语尾) : (아주낮춤으로) 지금 깨달은 일에 대하여 말함을 나타내는 종결 어미.
无对应词汇
(高卑) 表示现在觉察到的事情。

좁+은 공간+도 꾸미+[기 나름이]+야.

• **좁다 (形容词)** : 면이나 바닥 등의 면적이 작다.
窄小
面或底部等的面积小。

• -은 (语尾) : 앞의 말이 관형어의 기능을 하게 만들고 현재의 상태를 나타내는 어미.
无对应词汇
使前面的词具有定语功能，表示现在的状态。

• **공간 (名词)** : 아무것도 없는 빈 곳이나 자리.
空地
空荡无物的地方或处所。

• 도 (助词) : 이미 있는 어떤 것에 다른 것을 더하거나 포함함을 나타내는 조사.
无对应词汇
表示添加或包括。

• **꾸미다 (动词)** : 모양이 좋아지도록 손질하다.
装饰，装扮
修饰以使样子变好。

• -기 나름이다 (表达) : 어떤 일이 앞의 말이 나타내는 행동을 어떻게 하느냐에 따라 달라질 수 있음을 나타내는 표현.
无对应词汇
表示某件事情会随着前指行为的进展情况而有所改变。

• -야 (语尾) : (두루낮춤으로) 어떤 사실에 대하여 서술하거나 물음을 나타내는 종결 어미.
无对应词汇
(普卑) 表示叙述或询问某个事实。**<叙述>**

< 대화(聊天) > - 24

나물 반찬 말고 더 맛있는 거 없어요?
나물 반찬 말고 더 마신는 거 업써요?
namul banchan malgo deo masinneun geo eopseoyo?

반찬 투정하지 말고 빨리 먹기나 해.
반찬 투정하지 말고 빨리 먹끼나 해.
banchan tujeonghaji malgo ppalli meokgina hae.

< 설명(说明) / 번역(翻译) >

나물 반찬 말+고 더 맛있+[는 것(거)] 없+어요?
맛있는 거

• **나물 (名词)** : 먹을 수 있는 풀이나 나뭇잎, 채소 등을 삶거나 볶거나 또는 날것으로 양념하여 무친 반찬.
拌菜，凉拌菜
把可以食用的草、叶子、蔬菜等煮熟、炒熟或加入作料生拌出来的菜肴。

• **반찬 (名词)** : 식사를 할 때 밥에 곁들여 먹는 음식.
菜，菜肴
用餐时配着米饭一起吃的食物。

• **말다 (动词)** : 앞의 것이 아니고 뒤의 것임을 나타내는 말.
不是……而是
表示不是前者，是后者。

• -고 (语尾) : 두 가지 이상의 대등한 사실을 나열할 때 쓰는 연결 어미.
无对应词汇
表示罗列两个以上的对等的事实。

• **더 (副词)** : 비교의 대상이나 어떤 기준보다 정도가 크게, 그 이상으로.
更，更加
与比较对象或某个标准相比，程度加深；在那之上。

• **맛있다 (形容词)** : 맛이 좋다.
好吃，可口，香
食物的味道好。

• -는 것 (表达) : 명사가 아닌 것을 문장에서 명사처럼 쓰이게 하거나 '이다' 앞에 쓰일 수 있게 할 때 쓰는 표현.
无对应词汇
用于使非名词在句中用作名词或使其可出现在"이다"前面。

• **없다 (形容词)** : 사람, 사물, 현상 등이 어떤 곳에 자리나 공간을 차지하고 존재하지 않는 상태이다.
不在
人、事物、现象等不占据某处或空间。

• -어요 (语尾) : (두루높임으로) 어떤 사실을 서술하거나 질문, 명령, 권유함을 나타내는 종결 어미.
无对应词汇
(普尊) 表示叙述某个事实，或提问、命令、劝说。**<提问>**

반찬 투정하+[지 말]+고 빨리 먹+[기나 하]+여.
먹기나 해

• **반찬 (名词)** : 식사를 할 때 밥에 곁들여 먹는 음식.
菜，菜肴
用餐时配着米饭一起吃的食物。

• **투정하다 (动词)** : 무엇이 모자라거나 마음에 들지 않아 떼를 쓰며 조르다.
缠磨，挑剔，挑刺儿
对什么感到欠缺或不满意而撒泼并纠缠不休。

• -지 말다 (表达) : 앞의 말이 나타내는 행동을 하지 못하게 함을 나타내는 표현.
无对应词汇
表示禁止进行前面所指的行为。

• -고 (语尾) : 앞의 말과 뒤의 말이 차례대로 일어남을 나타내는 연결 어미.
无对应词汇
表示前后两件事依次发生。

• **빨리 (副词)** : 걸리는 시간이 짧게.
快，赶快
花费的时间不长地。

• **먹다 (动词)** : 음식 등을 입을 통하여 배 속에 들여보내다.
吃
将食物送进口中并咽下。

• -기나 하다 (表达) : 마음에 차지는 않지만 듣는 사람이나 다른 사람이 앞의 말이 나타내는 행동을 하길 바랄 때 쓰는 표현.

无对应词汇

表示虽然不太满意，但希望听话人或他人能够做出前面所指的行为。

• -여 (语尾) : (두루낮춤으로) 어떤 사실을 서술하거나 물음, 명령, 권유를 나타내는 종결 어미.

无对应词汇

(普卑) 表示陈述某种事实、询问、命令或劝说。**<命令>**

< 대화(聊天) > - 25

수박 한 통에 이만 원이라고요? 좀 비싼데요.
수박 한 통에 이만 워니라고요? 좀 비싼데요.
subak han tonge iman woniragoyo? jom bissandeyo.

비싸기는요. 요즘 물가가 얼마나 올랐는데요.
비싸기느뇨. 요즘 물까가 얼마나 올란는데요.
bissagineunyo. yojeum mulgaga eolmana ollanneundeyo.

< 설명(说明) / 번역(翻译) >

수박 한 통+에 이만 원+이+라고요?

좀 비싸+ㄴ데요.
비싼데요

• **수박 (名词)** : 둥글고 크며 초록 빛깔에 검푸른 줄무늬가 있으며 속이 붉고 수분이 많은 과일.
西瓜
一种又圆又大的水果，果皮呈绿色，并有蓝黑色条纹，果肉呈红色，且多汁。

• **한 (冠形词)** : 하나의.
一
一个的。

• **통 (名词)** : 배추나 수박, 호박 등을 세는 단위.
棵
白菜、西瓜或南瓜等的计算单位。

• 에 (助词) : 앞말이 기준이 되는 대상이나 단위임을 나타내는 조사.
无对应词汇
表示作为标准的对象或单位。

• **이만** : 20,000

• **원 (名词)** : 한국의 화폐 단위.
韩元，韩币
韩国货币单位。

• 이다 (助词) : 주어가 지시하는 대상의 속성이나 부류를 지정하는 뜻을 나타내는 서술격 조사.
无对应词汇
表示指定主语所指示的属性或类型。

• -라고요 (表达) : (두루높임으로) 다른 사람의 말을 확인하거나 따져 물을 때 쓰는 표현.
无对应词汇
(普尊) 表示确认或追问别人所说的话。

• **좀 (副词)** : 분량이나 정도가 적게.
一点点，有一点
分量或程度稀少地。

• **비싸다 (形容词)** : 물건값이나 어떤 일을 하는 데 드는 비용이 보통보다 높다.
贵
物品的价格或做某事所花的费用高于一般水平。

• -ㄴ데요 (表达) : (두루높임으로) 의외라 느껴지는 어떤 사실을 감탄하여 말할 때 쓰는 표현.
无对应词汇
(普尊) 表示感叹某个意外的事实。

비싸+기는요.

요즘 물가+가 얼마나 오르(올ㄹ)+았+는데요.

올랐는데요

• **비싸다 (形容词)** : 물건값이나 어떤 일을 하는 데 드는 비용이 보통보다 높다.
贵
物品的价格或做某事所花的费用高于一般水平。

• -기는요 (表达) : (두루높임으로) 상대방의 말을 가볍게 부정하거나 반박함을 나타내는 표현.
无对应词汇
(普尊) 表示轻微否定或反驳对方所说的话。

• **요즘 (名词)** : 아주 가까운 과거부터 지금까지의 사이.
最近，近来，这阵子
从非常近的过去到现在之间。

• **물가 (名词)** : 물건이나 서비스의 평균적인 가격.
物价
东西或服务的平均价格。

• 가 (助词) : 어떤 상태나 상황에 놓인 대상이나 동작의 주체를 나타내는 조사.
无对应词汇
表示行为的主体或状态描述的对象。

• **얼마나 (副词)** : 상태나 느낌 등의 정도가 매우 크고 대단하게.
多么
状态或感觉等的程度非常大而厉害地。

• **오르다 (动词)** : 값, 수치, 온도, 성적 등이 이전보다 많아지거나 높아지다.
上升，上涨
价格、数值、温度、成绩等比以前多或高。

• -았- (语尾) : 어떤 사건이 과거에 완료되었거나 그 사건의 결과가 현재까지 지속되는 상황을 나타내는 어미.
无对应词汇
表示某一事件已结束或其结果保持到现在。

• -는데요 (表达) : (두루높임으로) 어떤 상황을 전달하여 듣는 사람의 반응을 기대함을 나타내는 표현.
无对应词汇
(普尊) 表示转达某种状况后，期待听话人的反应。

< 대화(聊天) > - 26

왜 나한테 거짓말을 했어?
왜 나한테 거진마를 해써?
wae nahante geojinmareul haesseo?

그건 너와 멀어질까 봐 두려웠기 때문이야.
그건 너와 머러질까 봐 두려월끼 때무니야.
geugeon neowa meoreojilkka bwa duryeowotgi ttaemuniya.

< 설명(说明) / 번역(翻译) >

왜 나+한테 거짓말+을 하+였+어?
했어

- **왜 (副词)** : 무슨 이유로. 또는 어째서.
  为什么
  因什么原因；或指怎么。

- **나 (代词)** : 말하는 사람이 친구나 아랫사람에게 자기를 가리키는 말.
  我
  说话人在朋友或晚辈面前用来指称自己。

- 한테 (助词) : 어떤 행동이 미치는 대상임을 나타내는 조사.
  无对应词汇
  表示某个动作所涉及的对象。

- **거짓말 (名词)** : 사실이 아닌 것을 사실인 것처럼 꾸며서 하는 말.
  谎言
  把非事实的事情编造成事实一样说的话。

- 을 (助词) : 동작이 직접적으로 영향을 미치는 대상을 나타내는 조사.
  无对应词汇
  表示动作直接涉及的对象。

- **하다 (动词)** : 어떤 행동이나 동작, 활동 등을 행하다.
  做，干
  进行某种行动、动作或活动。

• -였- (语尾) : 사건이 과거에 일어났음을 나타내는 어미.
无对应词汇
表示事件发生在过去。

• -어 (语尾) : (두루낮춤으로) 어떤 사실을 서술하거나 물음, 명령, 권유를 나타내는 종결 어미.
无对应词汇
(普卑) 表示陈述某种事实、询问、命令或劝说。<提问>

그것(그거)+은 너+와 멀어지+[ㄹ까 보]+아 두렵(두려우)+었+[기 때문]+이+야.
그건 멀어질까 봐 두려웠기 때문이야

• **그것 (代词)** : 앞에서 이미 이야기한 대상을 가리키는 말.
那个
指代前面已提到过的对象。

• 은 (助词) : 문장 속에서 어떤 대상이 화제임을 나타내는 조사.
无对应词汇
表示某个对象是句中的话题。

• **너 (代词)** : 듣는 사람이 친구나 아랫사람일 때, 그 사람을 가리키는 말.
你
指代听者，用于朋友或晚辈。

• 와 (助词) : 무엇인가를 상대로 하여 어떤 일을 할 때 그 상대임을 나타내는 조사.
和，跟
表示做某事时针对的对象。

• **멀어지다 (动词)** : 친하던 사이가 다정하지 않게 되다.
疏远
原来亲近的关系变得冷淡。

• -ㄹ까 보다 (表达) : 앞에 오는 말이 나타내는 상황이 될 것을 걱정하거나 두려워함을 나타내는 표현.
无对应词汇
表示担心或害怕出现前面表达的状况。

• -아 (语尾) : 앞에 오는 말이 뒤에 오는 말에 대한 원인이나 이유임을 나타내는 연결 어미.
无对应词汇
表示前句是后句的原因或理由。

• **두렵다 (形容词)** : 걱정되고 불안하다.
担忧
担心不安。

• -었- (语尾) : 사건이 과거에 일어났음을 나타내는 어미.
无对应词汇
表示过去。

• -기 때문 (表达) : 앞의 내용이 뒤에 오는 일의 원인이나 까닭임을 나타내는 표현.
因为是
表示前句内容为后句的原因或理由。

• 이다 (助词) : 주어가 지시하는 대상의 속성이나 부류를 지정하는 뜻을 나타내는 서술격 조사.
无对应词汇
表示指定主语所指示的属性或类型。

• -야 (语尾) : (두루낮춤으로) 어떤 사실에 대하여 서술하거나 물음을 나타내는 종결 어미.
无对应词汇
(普卑) 表示叙述或询问某个事实。**<叙述>**

< 대화(聊天) > - 27

이번 휴가 때 남자 친구에게 운전을 배우기로 했어.
이번 휴가 때 남자 친구에게 운저늘 배우기로 해써.
ibeon hyuga ttae namja chinguege unjeoneul baeugiro haesseo.

그러면 분명히 서로 싸우게 될 텐데…….
그러면 분명히 서로 싸우게 될 텐데…….
geureomyeon bunmyeonghi seoro ssauge doel tende…….

< 설명(说明) / 번역(翻译) >

이번 휴가 때 남자 친구+에게 운전+을 배우+[기로 하]+였+어.
배우기로 했어

- **이번 (名词)** : 곧 돌아올 차례. 또는 막 지나간 차례.
  这次，这回
  马上到来的顺序；或指刚过去的顺序。

- **휴가 (名词)** : 직장이나 군대 등의 단체에 속한 사람이 일정한 기간 동안 일터를 벗어나서 쉬는 일. 또는 그런 기간.
  休假，度假，放假，假期
  属于工作单位或军队等团体的人在一定期间内从岗位上脱离出来并休息；或指这种时间。

- **때 (名词)** : 어떤 시기 동안.
  期间，时候
  在某一时期内。

- **남자 친구 (名词)** : 여자가 사랑하는 감정을 가지고 사귀는 남자.
  男朋友
  女性怀着爱情交往的男性。

- 에게 (助词) : 어떤 행동의 주체이거나 비롯되는 대상임을 나타내는 조사.
  无对应词汇
  表示某个动作的主体或引起动作的对象。

- **운전 (名词)** : 기계나 자동차를 움직이고 조종함.
  驾驶，操纵，开
  运行操纵机器或汽车。

• 을 (助词) : 동작이 직접적으로 영향을 미치는 대상을 나타내는 조사.
无对应词汇
表示动作直接涉及的对象。

• **배우다 (动词)** : 새로운 기술을 익히다.
学，学习
熟悉新技术。

• -기로 하다 (表达) : 앞의 말이 나타내는 행동을 할 것을 결심하거나 약속함을 나타내는 표현.
无对应词汇
表示下决心或约好进行前指行为。

• -였- (语尾) : 어떤 사건이 과거에 완료되었거나 그 사건의 결과가 현재까지 지속되는 상황을 나타내는 어미.
无对应词汇
表示某一事件已结束或其结果保持到现在。

• -어 (语尾) : (두루낮춤으로) 어떤 사실을 서술하거나 물음, 명령, 권유를 나타내는 종결 어미.
无对应词汇
(普卑) 表示陈述某种事实、询问、命令或劝说。**<叙述>**

그러면 분명히 서로 싸우+[게 되]+[ㄹ 텐데]…….
싸우게 될 텐데

• **그러면 (副词)** : 앞의 내용이 뒤의 내용의 조건이 될 때 쓰는 말.
那么，那样的话
用于表示前文为后文的条件。

• **분명히 (副词)** : 어떤 사실이 틀림이 없이 확실하게.
肯定地，分明地，明明白白地
事实准确无误地。

• **서로 (副词)** : 관계를 맺고 있는 둘 이상의 대상이 각기 그 상대에 대하여.
互相，相互
两个以上缔结关系的对象相对于各自的对方。

• **싸우다 (动词)** : 말이나 힘으로 이기려고 다투다.
打架，争斗
想要获胜而用语言或力气等进行较量。

• -게 되다 (表达) : 앞의 말이 나타내는 상태나 상황이 됨을 나타내는 표현.
无对应词汇
表示成为前面内容所表达的状态或状况。

• -ㄹ 텐데 (表达) : 앞에 오는 말에 대하여 말하는 사람의 강한 추측을 나타내면서 그와 관련되는 내용을 이어 말할 때 쓰는 표현.

无对应词汇

表示说话人对前面内容有把握的推测，同时连接后面与此相关的内容。

< 대화(聊天) > - 28

운동선수로서 뭐가 제일 힘들어?
운동선수로서 뭐가 제일 힘드러?
undongseonsuroseo mwoga jeil himdeureo?

글쎄, 체중을 조절하기 위한 끊임없는 노력이겠지.
글쎄, 체중을 조절하기 위한 끄니멈는 노려기겐찌.
geulsse, chejungeul jojeolhagi wihan kkeunimeomneun noryeogigetji.

< 설명(说明) / 번역(翻译) >

운동선수+로서 뭐+가 제일 힘들+어?

• **운동선수 (名词)** : 운동에 뛰어난 재주가 있어 전문적으로 운동을 하는 사람.
运动选手，运动员
在运动方面有天赋，专门从事运动的人。

• 로서 (助词) : 어떤 지위나 신분, 자격을 나타내는 조사.
无对应词汇
表示某个地位、身份或资格。

• **뭐 (代词)** : 모르는 사실이나 사물을 가리키는 말.
什么
指代不知道的事实或事物。

• 가 (助词) : 어떤 상태나 상황에 놓인 대상이나 동작의 주체를 나타내는 조사.
无对应词汇
表示行为的主体或状态描述的对象。

• **제일 (副词)** : 여럿 중에서 가장.
最
在多个对象中首屈一指地。

• **힘들다 (形容词)** : 어떤 일을 하는 것이 어렵거나 곤란하다.
难，困难，费劲，难以
做某事不简单或不容易。

• -어 (语尾) : (두루낮춤으로) 어떤 사실을 서술하거나 물음, 명령, 권유를 나타내는 종결 어미.
无对应词汇
(普卑) 表示陈述某种事实、询问、命令或劝说。<**提问**>

글쎄, 체중+을 조절하+[기 위한] 끊임없+는 노력+이+겠+지.

• **글쎄 (叹词)** : 상대방의 물음이나 요구에 대하여 분명하지 않은 태도를 나타낼 때 쓰는 말.
也许吧，或许吧，难说
对于对方所提出的问题或要求，表现出不确定的态度。

• **체중 (名词)** : 몸의 무게.
体重
身体的重量。

• 을 (助词) : 동작이 직접적으로 영향을 미치는 대상을 나타내는 조사.
无对应词汇
表示动作直接涉及的对象。

• **조절하다 (动词)** : 균형에 맞게 바로잡거나 상황에 알맞게 맞추다.
调节，调整
进行纠正或调配而使之保持均衡或符合状况。

• -기 위한 (表达) : 뒤에 오는 명사를 수식하면서 그 목적이나 의도를 나타내는 표현.
无对应词汇
修饰后面的名词，并表示其目的或意图。

• **끊임없다 (形容词)** : 계속하거나 이어져 있던 것이 끊이지 아니하다.
不断，无休止
持续或连续的东西一直不中断。

• -는 (语尾) : 앞의 말이 관형어의 기능을 하게 만들고 사건이나 동작이 현재 일어남을 나타내는 어미.
无对应词汇
使前面的词具有定语功能，表示事件或动作现在正在发生。

• **노력 (名词)** : 어떤 목적을 이루기 위하여 힘을 들이고 애를 씀.
努力，下工夫
为达到某种目的而尽心尽力。

• 이다 (助词) : 주어가 지시하는 대상의 속성이나 부류를 지정하는 뜻을 나타내는 서술격 조사.
无对应词汇
表示指定主语所指示的属性或类型。

• -겠- (语尾) : 미래의 일이나 추측을 나타내는 어미.

无对应词汇

表示将来或推测。

• -지 (语尾) : (두루낮춤으로) 말하는 사람이 자신에 대한 이야기나 자신의 생각을 친근하게 말할 때 쓰는 종결 어미.

无对应词汇

(普卑) 表示说话人亲切地说出自己的故事或想法。

< 대화(聊天) > - 29

요즘 부쩍 운동을 열심히 하시네요.
요즘 부쩍 운동을 열씸히 하시네요.
yojeum bujjeok undongeul yeolsimhi hasineyo.

건강을 유지하기 위해서 운동을 좀 해야겠더라고요.
건강을 유지하기 위해서 운동을 좀 해야겓떠라고요.
geongangeul yujihagi wihaeseo undongeul jom haeyagetdeoragoyo.

< 설명(说明) / 번역(翻译) >

요즘 부쩍 운동+을 열심히 하+시+네요.

• **요즘 (名词)** : 아주 가까운 과거부터 지금까지의 사이.
最近，近来，这阵子
从非常近的过去到现在之间。

• **부쩍 (副词)** : 어떤 사물이나 현상이 갑자기 크게 변화하는 모양.
猛地，一下子
某事物或某现象突然发生巨大变化的样子。

• **운동 (名词)** : 몸을 단련하거나 건강을 위하여 몸을 움직이는 일.
运动
锻炼身体或为了健康而活动身体。

• 을 (助词) : 동작이 직접적으로 영향을 미치는 대상을 나타내는 조사.
无对应词汇
表示动作直接涉及的对象。

• **열심히 (副词)** : 어떤 일에 온 정성을 다하여.
认真地
对于某事专心诚意地。

• **하다 (动词)** : 어떤 행동이나 동작, 활동 등을 행하다.
做，干
进行某种行动、动作或活动。

• -시- (语尾) : 어떤 동작이나 상태의 주체를 높이는 뜻을 나타내는 어미.
无对应词汇
表示对某个动作或状态主体的尊敬。

• -네요 (表达) : (두루높임으로) 말하는 사람이 직접 경험하여 새롭게 알게 된 사실에 대해 감탄함을 나타낼 때 쓰는 표현.
无对应词汇
(普尊) 表示说话人感叹亲身经历所得知的新事实。

건강+을 유지하+[기 위해서] 운동+을 좀 하+여야겠+더라고요.
해야겠더라고요

• **건강 (名词)** : 몸이나 정신이 이상이 없이 튼튼한 상태.
健康
指身体或精神没有异常、很结实的状态。

• 을 (助词) : 동작이 직접적으로 영향을 미치는 대상을 나타내는 조사.
无对应词汇
表示动作直接涉及的对象。

• **유지하다 (动词)** : 어떤 상태나 상황 등을 그대로 이어 나가다.
维持，维护
原样保持某种状态或情况等。

• -기 위해서 (表达) : 어떤 일을 하는 목적인 의도를 나타내는 표현.
为了
表示做某事的目的或意图。

• **운동 (名词)** : 몸을 단련하거나 건강을 위하여 몸을 움직이는 일.
运动
锻炼身体或为了健康而活动身体。

• 을 (助词) : 동작이 직접적으로 영향을 미치는 대상을 나타내는 조사.
无对应词汇
表示动作直接涉及的对象。

• **좀 (副词)** : 분량이나 정도가 적게.
一点点，有一点
分量或程度稀少地。

• **하다 (动词)** : 어떤 행동이나 동작, 활동 등을 행하다.
做，干
进行某种行动、动作或活动。

• -여야겠- (表达) : 앞의 말이 나타내는 행동에 대한 강한 의지를 나타내거나 그 행동을 할 필요가 있음을 완곡하게 말할 때 쓰는 표현.

无对应词汇

表示对前面所指行动的强烈意志，或委婉说出有必要做该行动。

• -더라고요 (表达) : (두루높임으로) 과거에 경험하여 새로 알게 된 사실에 대해 지금 상대방에게 옮겨 전할 때 쓰는 표현.

无对应词汇

(普尊) 表示现在向对方转述过去经历所得知的新事实。

< 대화(聊天) > - 30

해외여행을 떠나기 전에 무엇을 준비해야 할까요?
해외여행을 떠나기 저네 무어슬 준비해야 할까요?
haeoeyeohaengeul tteonagi jeone mueoseul junbihaeya halkkayo?

먼저 여권을 준비하고 환전도 해야 해요.
먼저 여꿔늘 준비하고 환전도 해야 해요.
meonjeo yeogwoneul junbihago hwanjeondo haeya haeyo.

< 설명(说明) / 번역(翻译) >

해외여행+을 떠나+[기 전에] 무엇+을 준비하+[여야 하]+ㄹ까요?
준비해야 할까요

• **해외여행 (名词)** : 외국으로 여행을 가는 일. 또는 그런 여행.
海外旅行，境外游
去国外旅行；或指这种旅行。

• 을 (助词) : 그 행동의 목적이 되는 일을 나타내는 조사.
无对应词汇
表示行动的目的。

• **떠나다 (动词)** : 어떤 일을 하러 나서다.
去，去做
为了某件事而出门。

• -기 전에 (表达) : 뒤에 오는 말이 나타내는 행동이 앞에 오는 말이 나타내는 행동보다 앞서는 것을 나타내는 표현.
无对应词汇
表示后句所指的动作先于前句所指动作。

• **무엇 (代词)** : 모르는 사실이나 사물을 가리키는 말.
什么
指代不知道的事实或事物。

• 을 (助词) : 동작이 직접적으로 영향을 미치는 대상을 나타내는 조사.
无对应词汇
表示动作直接涉及的对象。

• **준비하다 (动词)** : 미리 마련하여 갖추다.
准备
事先筹备。

• -여야 하다 (表达) : 앞에 오는 말이 어떤 일을 하거나 어떤 상황에 이르기 위한 의무적인 행동이거나 필수적인 조건임을 나타내는 표현.
无对应词汇
表示前面内容是为了做某事或达到某种情况而进行的强制性动作或必要条件。

• -ㄹ까요 (表达) : (두루높임으로) 듣는 사람에게 의견을 묻거나 제안함을 나타내는 표현.
无对应词汇
(普尊) 表示向听话人询问意见或提出建议。

먼저 여권+을 준비하+고 환전+도 하+[여야 하]+여요.
해야 해요

• **먼저 (副词)** : 시간이나 순서에서 앞서.
先
在时间或顺序上领先。

• **여권 (名词)** : 다른 나라를 여행하는 사람의 신분이나 국적을 증명하고, 여행하는 나라에 그 사람의 보호를 맡기는 문서.
护照
证明去他国旅行的人的身份或国籍，在旅行国家要求保护的文件。

• 을 (助词) : 동작이 직접적으로 영향을 미치는 대상을 나타내는 조사.
无对应词汇
表示动作直接涉及的对象。

• **준비하다 (动词)** : 미리 마련하여 갖추다.
准备
事先筹备。

• -고 (语尾) : 두 가지 이상의 대등한 사실을 나열할 때 쓰는 연결 어미.
无对应词汇
表示罗列两个以上的对等的事实。

• **환전 (名词)** : 한 나라의 화폐를 다른 나라의 화폐와 맞바꿈.
兑换，换钱
把一国的货币换与另一国的货币对换。

• 도 (助词) : 이미 있는 어떤 것에 다른 것을 더하거나 포함함을 나타내는 조사.

无对应词汇

表示添加或包括。

• **하다 (动词)** : 어떤 행동이나 동작, 활동 등을 행하다.

做，干

进行某种行动、动作或活动。

• -여야 하다 (表达) : 앞에 오는 말이 어떤 일을 하거나 어떤 상황에 이르기 위한 의무적인 행동이거나 필수적인 조건임을 나타내는 표현.

无对应词汇

表示前面内容是为了做某事或达到某种情况而进行的强制性动作或必要条件。

• -여요 (语尾) : (두루높임으로) 어떤 사실을 서술하거나 질문, 명령, 권유함을 나타내는 종결 어미.

无对应词汇

(普尊) 表示叙述某个事实，或提问、命令、劝说。**<叙述>**

< 대화(聊天) > - 31

저 다음 달에 한국에 갑니다.
저 다음 다레 한구게 감니다.
jeo daeum dare hanguge gamnida.

어머, 그럼 우리 서울에서 볼 수 있겠네요?
어머, 그럼 우리 서우레서 볼 쑤 읻껜네요?
eomeo, geureom uri seoureseo bol su itgenneyo?

< 설명(说明) / 번역(翻译) >

저 다음 달+에 한국+에 가+ㅂ니다.
갑니다

• **저 (代词)** : 말하는 사람이 듣는 사람에게 자신을 낮추어 가리키는 말.
我
说话人在听话人面前对自己的谦称。

• **다음 (名词)** : 어떤 차례에서 바로 뒤.
下面，下一个
某个次序的后一个。

• **달 (名词)** : 일 년을 열둘로 나누어 놓은 기간.
月
把一年分为十二个的每个时间段。

• 에 (助词) : 앞말이 시간이나 때임을 나타내는 조사.
无对应词汇
表示时间或时候。

• **한국 (名词)** : 아시아 대륙의 동쪽에 있는 나라. 한반도와 그 부속 섬들로 이루어져 있으며, 대한민국이라고도 부른다. 1950년에 일어난 육이오 전쟁 이후 휴전선을 사이에 두고 국토가 둘로 나뉘었다. 언어는 한국어이고, 수도는 서울이다.
韩国
位于亚洲大陆东部的一个国家，由朝鲜半岛及其附属岛屿构成，也被称为大韩民国。
1950年朝鲜战争爆发后，其国土以休战线为界被分为两部分。语言为韩国语，首都为首尔。

• 에 (助词) : 앞말이 목적지이거나 어떤 행위의 진행 방향임을 나타내는 조사.
无对应词汇
表示目的地或某行为进行的方向。

• **가다 (动词)** : 한 곳에서 다른 곳으로 장소를 이동하다.
去
从一个地方移动到另一个地方。

• -ㅂ니다 (语尾) : (아주높임으로) 현재의 동작이나 상태, 사실을 정중하게 설명함을 나타내는 종결 어미.
无对应词汇
(高尊) 表示以郑重的语气说明现在的动作、状态或事实。

어머, 그럼 우리 서울+에서 보+[ㄹ 수 있]+겠+네요?
볼 수 있겠네요

• **어머 (叹词)** : 주로 여자들이 예상하지 못한 일로 갑자기 놀라거나 감탄할 때 내는 소리.
哎哟，哦
主要是女性因没料到的事情感到惊讶或感叹时发出的声音。

• **그럼 (副词)** : 앞의 내용을 받아들이거나 그 내용을 바탕으로 하여 새로운 주장을 할 때 쓰는 말.
那么，既然那样
用于表示接受前文内容，或以前文为基础，提出新的主张。

• **우리 (代词)** : 말하는 사람이 자기와 듣는 사람 또는 이를 포함한 여러 사람들을 가리키는 말.
我们，咱们
说话人指代自己和听话人在内的一些人。

• **서울 (名词)** : 한반도 중앙에 있는 특별시. 한국의 수도이자 정치, 경제, 산업, 사회, 문화, 교통의 중심지이다. 북한산, 관악산 등의 산에 둘러싸여 있고 가운데로는 한강이 흐른다.
首尔
位于朝鲜半岛中央的特别市。既是韩国的首都，又是韩国政治、经济、产业、社会、文化、交通的中心地。被北汉山、冠岳山等众山围绕，汉江贯穿其中。

• 에서 (助词) : 앞말이 행동이 이루어지고 있는 장소임을 나타내는 조사.
无对应词汇
表示前面的内容为动作所进行的地点。

• **보다 (动词)** : 사람을 만나다.
看，见，见面
与别人相见。

• -ㄹ 수 있다 (表达) : 어떤 행동이나 상태가 가능함을 나타내는 표현.

无对应词汇

表示某种行为或状态有可能发生。

• -겠- (语尾) : 미래의 일이나 추측을 나타내는 어미.

无对应词汇

表示将来或推测。

• -네요 (表达) : (두루높임으로) 말하는 사람이 추측하거나 짐작한 내용에 대해 듣는 사람에게 동의를 구하며 물을 때 쓰는 표현.

无对应词汇

(普尊) 表示说话人对于推测或估计的内容，向听话人征求同意并询问。

< 대화(聊天) > - 32

매일 만드는 대로 요리했는데 오늘은 평소보다 맛이 없는 것 같아요.
매일 만드는 대로 요리핸는데 오느른 평소보다 마시 엄는 걷 가타요.
maeil mandeuneun daero yorihaenneunde oneureun pyeongsoboda masi eomneun geot gatayo.

아니에요. 맛있어요. 잘 먹을게요.
아니에요. 마시써요. 잘 머글께요.
anieyo. masisseoyo. jal meogeulgeyo.

< 설명(说明) / 번역(翻译) >

매일 만들(만드)+[는 대로] 요리하+였+는데
만드는 대로 요리했는데

오늘+은 평소+보다 맛+이 없+[는 것 같]+아요.

• **매일 (副词)** : 하루하루마다 빠짐없이.
天天，每日
每天都，无遗漏地。

• **만들다 (动词)** : 힘과 기술을 써서 없던 것을 생기게 하다.
制作，做，制造
使用气力或技术而使没有的东西生成。

• -는 대로 (表达) : 앞에 오는 말이 뜻하는 현재의 행동이나 상황과 같음을 나타내는 표현.
无对应词汇
表示前面所指的内容和现在的行动或状况相同。

• **요리하다 (动词)** : 음식을 만들다.
烹饪
做食物。

• -였- (语尾) : 어떤 사건이 과거에 완료되었거나 그 사건의 결과가 현재까지 지속되는 상황을 나타내는 어미.
无对应词汇
表示某一事件已结束或其结果保持到现在。

• -는데 (语尾) : 뒤의 말을 하기 위하여 그 대상과 관련이 있는 상황을 미리 말함을 나타내는 연결 어미.
无对应词汇
表示为了说后面的话而先说与其相关的状况。

• **오늘 (名词)** : 지금 지나가고 있는 이날.
今天，今日
现在正在度过的这一天。

• 은 (助词) : 어떤 대상이 다른 것과 대조됨을 나타내는 조사.
无对应词汇
表示某个对象与另一个形成对照。

• **평소 (名词)** : 특별한 일이 없는 보통 때.
平常，平时，平日
没有特别事情，通常的时候。

• 보다 (助词) : 서로 차이가 있는 것을 비교할 때, 비교의 대상이 되는 것을 나타내는 조사.
比
比较互相之间的差异时，作为比较的对象。

• **맛 (名词)** : 음식 등을 혀에 댈 때 느껴지는 감각.
味，味道
用舌头接触食物等时得到的感觉。

• 이 (助词) : 어떤 상태나 상황의 대상이나 동작의 주체를 나타내는 조사.
无对应词汇
表示行为的主体或状态描述的对象。

• **없다 (形容词)** : 어떤 사실이나 현상이 현실로 존재하지 않는 상태이다.
没有
某个事实或现象在现实里不存在。

• -는 것 같다 (表达) : 추측을 나타내는 표현.
无对应词汇
表示推测。

• -아요 (语尾) : (두루높임으로) 어떤 사실을 서술하거나 질문, 명령, 권유함을 나타내는 종결 어미.
无对应词汇
(普尊) 表示叙述某个事实，或提问、命令、劝说。**<叙述>**

아니+에요.

맛있+어요.

잘 먹+을게요.

• **아니다 (形容词)** : 어떤 사실이나 내용을 부정하는 뜻을 나타내는 말.
不是，非
表示否定某些事实或内容。

• -에요 (语尾) : (두루높임으로) 어떤 사실을 서술하거나 질문함을 나타내는 종결 어미.
无对应词汇
(普尊) 表示叙述或询问某个事实。**<叙述>**

• **맛있다 (形容词)** : 맛이 좋다.
好吃，可口，香
食物的味道好。

• -어요 (语尾) : (두루높임으로) 어떤 사실을 서술하거나 질문, 명령, 권유함을 나타내는 종결 어미.
无对应词汇
(普尊) 表示叙述某个事实，或提问、命令、劝说。**<叙述>**

• **잘 (副词)** : 충분히 만족스럽게.
满足地，满意地
足以感到满意地。

• **먹다 (动词)** : 음식 등을 입을 통하여 배 속에 들여보내다.
吃
将食物送进口中并咽下。

• -을게요 (表达) : (두루높임으로) 말하는 사람이 어떤 행동을 할 것을 듣는 사람에게 약속하거나 의지를 나타내는 표현.
无对应词汇
(普卑) 说话人向听话人约定做某个行动或表达做某个行动的意志。

< 대화(聊天) > - 33

지아야, 여행 잘 다녀와. 전화하고.
지아야, 여행 잘 다녀와. 전화하고.
jiaya, yeohaeng jal danyeowa. jeonhwahago.

네, 호텔에 도착하는 대로 전화 드릴게요.
네, 호테레 도차카는 대로 전화 드릴께요.
ne, hotere dochakaneun daero jeonhwa deurilgeyo.

< 설명(说明) / 번역(翻译) >

지아+야, 여행 잘 다녀오+아.

다녀와

전화하+고.

• **지아 (名词)** : 人名

• 야 (助词) : 친구나 아랫사람, 동물 등을 부를 때 쓰는 조사.
无对应词汇
用于称呼朋友、晚辈或动物等。

• **여행 (名词)** : 집을 떠나 다른 지역이나 외국을 두루 구경하며 다니는 일.
旅行，旅游，游行
离开家，去其他地区或国外游玩的行为。

• **잘 (副词)** : 아무 탈 없이 편안하게.
好好地，顺利地
没有任何问题而舒服地。

• **다녀오다 (动词)** : 어떤 일을 하기 위해 갔다가 오다.
去一趟，去一下
为做某事而去某地后又回来。

• -아 (语尾) : (두루낮춤으로) 어떤 사실을 서술하거나 물음, 명령, 권유를 나타내는 종결 어미.
无对应词汇
(普卑) 表示陈述、询问、命令或劝说某种事实。**<命令>**

• **전화하다 (动词)** : 전화기를 통해 사람들끼리 말을 주고받다.
打电话，通话
人们通过电话机交谈。

• -고 (语尾) : (두루낮춤으로) 뒤에 올 또 다른 명령 표현을 생략한 듯한 느낌을 주면서 부드럽게 명령할 때 쓰는 종결 어미.
无对应词汇
(普卑) 用于委婉地命令别人，同时给人一种省略了其他命令的感觉。

네, 호텔+에 도착하+[는 대로] 전화 드리+ㄹ게요.
드릴게요

• **네 (叹词)** : 윗사람의 물음이나 명령 등에 긍정하여 대답할 때 쓰는 말.
是，行
用于肯定回答长辈所提出的问题或命令等。

• **호텔 (名词)** : 시설이 잘 되어 있고 규모가 큰 고급 숙박업소.
酒店，饭店，宾馆
设施完备且规模较大的高级住宿业经营场所。

• 에 (助词) : 앞말이 목적지이거나 어떤 행위의 진행 방향임을 나타내는 조사.
无对应词汇
表示目的地或某行为进行的方向。

• **도착하다 (动词)** : 목적지에 다다르다.
到达
抵达目的地。

• -는 대로 (表达) : 어떤 행동이나 상황이 나타나는 그때 바로, 또는 직후에 곧의 뜻을 나타내는 표현.
无对应词汇
表示出现某个行为或情况的那瞬间马上，或那之后立刻。

• **전화 (名词)** : 전화기를 통해 사람들끼리 말을 주고받음. 또는 그렇게 하여 전달되는 내용.
电话
人们通过电话机交谈；或指通过那样传达的内容。

• **드리다 (动词)** : 윗사람에게 어떤 말을 하거나 인사를 하다.
致，道
向上级或年长者说话或打招呼。

• -ㄹ게요 (表达) : (두루높임으로) 말하는 사람이 어떤 행동을 할 것을 듣는 사람에게 약속하거나 의지를 나타내는 표현.

无对应词汇

(普尊) 表示说话人向听话人约定做某个行为或表达做某个行为的意志。

< 대화(聊天) > - 34

우리 이번 주말에 영화 보기로 했지?
우리 이번 주마레 영화 보기로 핻찌?
uri ibeon jumare yeonghwa bogiro haetji?

응. 그런데 날씨가 좋으니까 영화를 보는 대신에 공원에 놀러 갈까?
응. 그런데 날씨가 조으니까 영화를 보는 대시네 공워네 놀러 갈까?
eung. geureonde nalssiga joeunikka yeonghwareul boneun daesine gongwone nolleo galkka?

< 설명(说明) / 번역(翻译) >

우리 이번 주말+에 영화 보+[기로 하]+였+지?
보기로 했지

• **우리 (代词)** : 말하는 사람이 자기와 듣는 사람 또는 이를 포함한 여러 사람들을 가리키는 말.
我们，咱们
说话人指代自己和听话人在内的一些人。

• **이번 (名词)** : 곧 돌아올 차례. 또는 막 지나간 차례.
这次，这回
马上到来的顺序；或指刚过去的顺序。

• **주말 (名词)** : 한 주일의 끝.
周末
一周的尽头。

• 에 (助词) : 앞말이 시간이나 때임을 나타내는 조사.
无对应词汇
表示时间或时候。

• **영화 (名词)** : 일정한 의미를 갖고 움직이는 대상을 촬영하여 영사기로 영사막에 비추어서 보게 하는 종합 예술.
电影
含有一定的意义，拍摄移动的对象，用放映机投影到银幕上看的综合性艺术。

• **보다 (动词)** : 눈으로 대상을 즐기거나 감상하다.
看，观看，观赏
用眼睛享受或欣赏某个对象。

• -기로 하다 (表达) : 앞의 말이 나타내는 행동을 할 것을 결심하거나 약속함을 나타내는 표현.
无对应词汇
表示下决心或约好进行前指行为。

• -였- (语尾) : 어떤 사건이 과거에 완료되었거나 그 사건의 결과가 현재까지 지속되는 상황을 나타내는 어미.
无对应词汇
表示某一事件已结束或其结果保持到现在。

• -지 (语尾) : (두루낮춤으로) 이미 알고 있는 것을 다시 확인하듯이 물을 때 쓰는 종결 어미.
无对应词汇
(普卑) 表示再次询问以确认已知信息。

응.

그런데 날씨+가 좋+으니까 영화+를 보+[는 대신에] 공원+에 놀+러 가+ㄹ까?
갈까

• **응 (叹词)** : 상대방의 물음이나 명령 등에 긍정하여 대답할 때 쓰는 말.
是，行
用于肯定回答对方所提出的问题或命令等。

• **그런데 (副词)** : 이야기를 앞의 내용과 관련시키면서 다른 방향으로 바꿀 때 쓰는 말.
可是，可
用于将话题与前面内容相连接的同时，又将话头转向其他方向。

• **날씨 (名词)** : 그날그날의 기온이나 공기 중에 비, 구름, 바람, 안개 등이 나타나는 상태.
天气
每天在气温或空气中出现的，如雨、云、风、雾等的状况。

• 가 (助词) : 어떤 상태나 상황에 놓인 대상이나 동작의 주체를 나타내는 조사.
无对应词汇
表示行为的主体或状态描述的对象。

• **좋다 (形容词)** : 날씨가 맑고 화창하다.
好，晴朗，明媚
天气风和日丽。

• -으니까 (语尾) : 뒤에 오는 말에 대하여 앞에 오는 말이 원인이나 근거, 전제가 됨을 강조하여 나타내는 연결 어미.
无对应词汇
表示强调前句为后句的原因、依据或前提。

• **영화 (名词)** : 일정한 의미를 갖고 움직이는 대상을 촬영하여 영사기로 영사막에 비추어서 보게 하는 종합 예술.

电影

含有一定的意义，拍摄移动的对象，用放映机投影到银幕上看的综合性艺术。

• 를 (助词) : 동작이 직접적으로 영향을 미치는 대상을 나타내는 조사.

无对应词汇

表示动作直接涉及的对象。

• **보다 (动词)** : 눈으로 대상을 즐기거나 감상하다.

看，观看，观赏

用眼睛享受或欣赏某个对象。

• -는 대신에 (表达) : 앞에 오는 말이 나타내는 행동이나 상태를 비슷하거나 맞먹는 다른 행동이나 상태로 바꾸는 것을 나타내는 표현.

无对应词汇

表示把前面表达的行动或状态转换成相似或相当的其他行动或状态。

• **공원 (名词)** : 사람들이 놀고 쉴 수 있도록 풀밭, 나무, 꽃 등을 가꾸어 놓은 넓은 장소.

公园

种植花草、树木等供人们休息游玩的宽阔场所。

• 에 (助词) : 앞말이 목적지이거나 어떤 행위의 진행 방향임을 나타내는 조사.

无对应词汇

表示目的地或某行为进行的方向。

• **놀다 (动词)** : 놀이 등을 하면서 재미있고 즐겁게 지내다.

玩耍，玩乐

玩着游戏等度过有趣、愉快的时光。

• -러 (语尾) : 가거나 오거나 하는 동작의 목적을 나타내는 연결 어미.

无对应词汇

表示来或去的动作的目的。

• **가다 (动词)** : 어떤 목적을 가지고 일정한 곳으로 움직이다.

去，上

为某种目的而向某个地方移动。

• -ㄹ까 (语尾) : (두루낮춤으로) 듣는 사람의 의사를 물을 때 쓰는 종결 어미.

无对应词汇

(普卑) 表示询问听话人的想法。

< 대화(聊天) > - 35

열 시가 다 돼 가는데도 지우가 집에 안 들어오네요.
열 시가 다 돼 가는데도 지우가 지베 안 드러오네요.
yeol siga da dwae ganeundedo jiuga jibe an deureooneyo.

벌써 시간이 그렇게 됐네요. 제가 전화해 볼게요.
벌써 시가니 그러케 됀네요. 제가 전화해 볼께요.
beolsseo sigani geureoke dwaenneyo. jega jeonhwahae bolgeyo.

< 설명(说明) / 번역(翻译) >

열 시+가 다 되+[어 가]+는데도 지우+가 집+에 안 들어오+네요.
돼 가는데도

• **열 (冠形词)** : 아홉에 하나를 더한 수의.
十
九加一的数。

• **시 (名词)** : 하루를 스물넷으로 나누었을 때 그 하나를 나타내는 시간의 단위.
点，点钟
计时单位，表示一天二十四小时中的某一个。

• 가 (助词) : 바뀌게 되는 대상이나 부정하는 대상임을 나타내는 조사.
无对应词汇
表示变化或否定的对象。

• **다 (副词)** : 행동이나 상태의 정도가 한정된 정도에 거의 가깝게.
快，就要
动作或状态的程度似乎接近限定程度地。

• **되다 (动词)** : 어떤 때나 시기, 상태에 이르다.
到
到达某个时间、时期或状态。

• -어 가다 (表达) : 앞의 말이 나타내는 행동이나 상태가 계속 진행됨을 나타내는 표현.
无对应词汇
表示前面所指的行动或状态持续进行。

• -는데도 (表达) : 앞에 오는 말이 나타내는 상황에 상관없이 뒤에 오는 말이 나타내는 상황이 일어남을 나타내는 표현.
无对应词汇
表示与前面表达的状况无关发生后面的状况。

• **지우 (名词)** : 人名

• 가 (助词) : 어떤 상태나 상황에 놓인 대상이나 동작의 주체를 나타내는 조사.
无对应词汇
表示行为的主体或状态描述的对象。

• **집 (名词)** : 사람이나 동물이 추위나 더위 등을 막고 그 속에 들어 살기 위해 지은 건물.
房子，窝，巢
人或动物为了遮寒挡暑等，进里面生活而盖的建筑物。

• 에 (助词) : 앞말이 목적지이거나 어떤 행위의 진행 방향임을 나타내는 조사.
无对应词汇
表示目的地或某行为进行的方向。

• **안 (副词)** : 부정이나 반대의 뜻을 나타내는 말.
不
表示否定或反对。

• **들어오다 (动词)** : 어떤 범위의 밖에서 안으로 이동하다.
进，进来
从某个范围外往里移动。

• -네요 (表达) : (두루높임으로) 말하는 사람이 직접 경험하여 새롭게 알게 된 사실에 대해 감탄함을 나타낼 때 쓰는 표현.
无对应词汇
(普尊) 表示说话人感叹亲身经历所得知的新事实。

벌써 시간+이 그렇+[게 되]+었+네요.
그렇게 됐네요

제+가 전화하+[여 보]+ㄹ게요.
전화해 볼게요

• **벌써 (副词)** : 생각보다 빠르게.
已经
比想象早地。

• **시간 (名词)** : 어떤 일을 하도록 정해진 때. 또는 하루 중의 어느 한 때.
时间
为了做某事而定下的时刻；或指一天中的某个时刻。

• 이 (助词) : 어떤 상태나 상황의 대상이나 동작의 주체를 나타내는 조사.
无对应词汇
表示行为的主体或状态描述的对象。

• **그렇다 (形容词)** : 상태, 모양, 성질 등이 그와 같다.
那样
表示状态、样子、性质等与此相同。

• -게 되다 (表达) : 앞의 말이 나타내는 상태나 상황이 됨을 나타내는 표현.
无对应词汇
表示成为前面内容所表达的状态或状况。

• -었- (语尾) : 어떤 사건이 과거에 완료되었거나 그 사건의 결과가 현재까지 지속되는 상황을 나타내는 어미.
无对应词汇
表示某一事件已结束或其结果保持到现在。

• -네요 (表达) : (두루높임으로) 말하는 사람이 직접 경험하여 새롭게 알게 된 사실에 대해 감탄함을 나타낼 때 쓰는 표현.
无对应词汇
(普尊) 表示说话人感叹亲身经历所得知的新事实。

• **제 (代词)** : 말하는 사람이 자신을 낮추어 가리키는 말인 '저'에 조사 '가'가 붙을 때의 형태.
我
说话人对自己的谦称"저"后加助词"가"的形态。

• 가 (助词) : 어떤 상태나 상황에 놓인 대상이나 동작의 주체를 나타내는 조사.
无对应词汇
表示行为的主体或状态描述的对象。

• **전화하다 (动词)** : 전화기를 통해 사람들끼리 말을 주고받다.
打电话，通话
人们通过电话机交谈。

• -여 보다 (表达) : 앞의 말이 나타내는 행동을 시험 삼아 함을 나타내는 표현.
无对应词汇
表示试着做前面所指的行动。

• -ㄹ게요 (表达) : (두루높임으로) 말하는 사람이 어떤 행동을 할 것을 듣는 사람에게 약속하거나 의지를 나타내는 표현.

无对应词汇

(普尊) 表示说话人向听话人约定做某个行为或表达做某个行为的意志。

< 대화(聊天) > - 36

친구들이랑 여행 갈 건데 너도 갈래?
친구드리랑 여행 갈 건데 너도 갈래?
chingudeurirang yeohaeng gal geonde neodo gallae?

저도 가도 돼요? 어디로 가는데요? 혹시 제주도로 가요?
저도 가도 돼요? 어디로 가는데요? 혹씨 제주도로 가요?
jeodo gado dwaeyo? eodiro ganeundeyo? hoksi jejudoro gayo?

< 설명(说明) / 번역(翻译) >

친구+들+이랑 여행 가+[ㄹ 것(거)]+(이)+ㄴ데 너+도 가+ㄹ래?

갈 건데 갈래

• **친구 (名词)** : 사이가 가까워 서로 친하게 지내는 사람.
朋友，好友， 友人，故旧
关系亲近而交往甚密的人。

• 들 (词缀) : '복수'의 뜻을 더하는 접미사.
无对应词汇
指"复数"。

• 이랑 (助词) : 어떤 일을 함께 하는 대상임을 나타내는 조사.
和，跟
引进一起做某事的对象。

• **여행 (名词)** : 집을 떠나 다른 지역이나 외국을 두루 구경하며 다니는 일.
旅行，旅游，游行
离开家，去其他地区或国外游玩的行为。

• **가다 (动词)** : 어떤 일을 하기 위해서 다른 곳으로 이동하다.
去
为做某事而向别的地方移动。

• -ㄹ 것 (表达) : 명사가 아닌 것을 문장에서 명사처럼 쓰이게 하거나 '이다' 앞에 쓰일 수 있게 할 때 쓰는 표현.
无对应词汇
用于使非名词在句中用作名词或使其能用在"이다"前面。

• 이다 (助词) : 주어가 지시하는 대상의 속성이나 부류를 지정하는 뜻을 나타내는 서술격 조사.
无对应词汇
表示指定主语所指示的属性或类型。

• -ㄴ데 (语尾) : 뒤의 말을 하기 위하여 그 대상과 관련이 있는 상황을 미리 말함을 나타내는 연결 어미.
无对应词汇
表示为了说后面的话而先说与其相关的状况。

• **너 (代词)** : 듣는 사람이 친구나 아랫사람일 때, 그 사람을 가리키는 말.
你
指代听者，用于朋友或晚辈。

• 도 (助词) : 이미 있는 어떤 것에 다른 것을 더하거나 포함함을 나타내는 조사.
无对应词汇
表示添加或包括。

• **가다 (动词)** : 어떤 일을 하기 위해서 다른 곳으로 이동하다.
去
为做某事而向别的地方移动。

• -ㄹ래 (语尾) : (두루낮춤으로) 앞으로 어떤 일을 하려고 하는 자신의 의사를 나타내거나 그 일에 대하여 듣는 사람의 의사를 물어봄을 나타내는 종결 어미.
无对应词汇
(普卑) 用来表明自己将要做某事的想法或询问听话人对某事的想法。

저+도 가+[(아)도 되]+어요?
가도 돼요

어디+로 가+는데요?

혹시 제주도+로 가+(아)요?
가요

• **저 (代词)** : 말하는 사람이 듣는 사람에게 자신을 낮추어 가리키는 말.
我
说话人在听话人面前对自己的谦称。

• 도 (助词) : 이미 있는 어떤 것에 다른 것을 더하거나 포함함을 나타내는 조사.
无对应词汇
表示添加或包括。

• **가다 (动词)** : 어떤 일을 하기 위해서 다른 곳으로 이동하다.
去
为做某事而向别的地方移动。

• -아도 되다 (表达) : 어떤 행동에 대한 허락이나 허용을 나타낼 때 쓰는 표현.
无对应词汇
表示允许或同意某个行动。

• -어요 (语尾) : (두루높임으로) 어떤 사실을 서술하거나 질문, 명령, 권유함을 나타내는 종결 어미.
无对应词汇
(普尊) 表示叙述某个事实，或提问、命令、劝说。<提问>

• **어디 (代词)** : 모르는 곳을 가리키는 말.
哪里，哪儿
指代不知道的处所。

• 로 (助词) : 움직임의 방향을 나타내는 조사.
无对应词汇
表示移动的方向。

• **가다 (动词)** : 어떤 일을 하기 위해서 다른 곳으로 이동하다.
去
为做某事而向别的地方移动。

• -는데요 (表达) : (두루높임으로) 듣는 사람에게 어떤 대답을 요구할 때 쓰는 표현.
无对应词汇
(普尊) 表示要求听话人作出某种回答。

• **혹시 (副词)** : 그러리라 생각하지만 분명하지 않아 말하기를 망설일 때 쓰는 말.
是不是，是否
用于对不确定的事情提出疑问，表示虽认为如此，但因不确定而犹豫要不要说。

• **제주도 (名词)** : 한국 서남해에 있는 화산섬. 한국에서 가장 큰 섬으로 화산 활동 지형의 특색이 잘 드러나 있어 관광 산업이 발달하였다. 해녀, 말, 귤이 유명하다.
济州岛
位于韩国西南海上的火山岛。为韩国第一大岛，因其火山活动地貌特色非常明显，故而旅游业非常发达。海女、马、橘子非常有名。

• 로 (助词) : 움직임의 방향을 나타내는 조사.
无对应词汇
表示移动的方向。

• **가다 (动词)** : 어떤 일을 하기 위해서 다른 곳으로 이동하다.
去
为做某事而向别的地方移动。

- -아요 (语尾) : (두루높임으로) 어떤 사실을 서술하거나 질문, 명령, 권유함을 나타내는 종결 어미.
  无对应词汇
  (普尊) 表示叙述某个事实，或提问、命令、劝说。**<提问>**

< 대화(聊天) > - 37

요새 아르바이트하느라 힘들지 않니?
요새 아르바이트하느라 힘들지 안니?
yosae areubaiteuhaneura himdeulji anni?

네. 아르바이트를 하면 경험을 쌓는 동시에 돈도 벌 수 있어서 좋아요.
네. 아르바이트를 하면 경허믈 싼는 동시에 돈도 벌 쑤 이써서 조아요.
ne. areubaiteureul hamyeon gyeongheomeul ssanneun dongsie dondo beol su isseoseo joayo.

< 설명(说明) / 번역(翻译) >

요새 아르바이트하+느라 힘들+[지 않]+니?

• **요새 (名词)** : 얼마 전부터 이제까지의 매우 짧은 동안.
近来，日来，最近
从不久前到现在的非常短的期间。

• **아르바이트하다 (动词)** : 짧은 기간 동안 돈을 벌기 위해 자신의 본업 외에 임시로 하는 일을 하다.
打工，打零工
为赚钱而在自己的主业以外临时做事。

• -느라 (语尾) : 앞에 오는 말이 나타내는 행동이 뒤에 오는 말의 목적이나 원인이 됨을 나타내는 연결 어미.
无对应词汇
表示前句所指的动作是后句的目的或原因。

• **힘들다 (形容词)** : 힘이 많이 쓰이는 면이 있다.
累，费力，费劲，辛苦，用力
有花费很多力气的一面。

• -지 않다 (表达) : 앞의 말이 나타내는 행위나 상태를 부정하는 뜻을 나타내는 표현.
无对应词汇
表示否定前面所指的行为或状态。

• -니 (语尾) : (아주낮춤으로) 물음을 나타내는 종결 어미.
无对应词汇
(高卑) 表示询问。

네.

아르바이트+를 하+면 경험+을 쌓+[는 동시에]

돈+도 벌(버)+[ㄹ 수 있]+어서 좋+아요.
벌 수 있어서

• **네 (叹词)** : 윗사람의 물음이나 명령 등에 긍정하여 대답할 때 쓰는 말.
是，行
用于肯定回答长辈所提出的问题或命令等。

• **아르바이트 (名词)** : 돈을 벌기 위해 자신의 본업 외에 임시로 하는 일.
打工
为赚钱而在自己的主业以外临时做的事。

• 를 (助词) : 동작이 직접적으로 영향을 미치는 대상을 나타내는 조사.
无对应词汇
表示动作直接涉及的对象。

• **하다 (动词)** : 어떤 행동이나 동작, 활동 등을 행하다.
做，干
进行某种行动、动作或活动。

• -면 (语尾) : 뒤에 오는 말에 대한 근거나 조건이 됨을 나타내는 연결 어미.
无对应词汇
表示前句为后句的根据或条件。

• **경험 (名词)** : 자신이 실제로 해 보거나 겪어 봄. 또는 거기서 얻은 지식이나 기능.
经验
自己实际做过或经历过；或指从中获得的知识或技能。

• 을 (助词) : 동작이 직접적으로 영향을 미치는 대상을 나타내는 조사.
无对应词汇
表示动作直接涉及的对象。

• **쌓다 (动词)** : 오랫동안 기술이나 경험, 지식 등을 많이 익히다.
积累，积
长时间充分熟练技术、经验或知识等。

• -는 동시에 (表达) : 앞에 오는 말과 뒤에 오는 말이 나타내는 행동이나 상태가 함께 일어남을 나타내는 표현.
无对应词汇
表示前面和后面表达的行动或状态同时发生。

• **돈 (名词)** : 물건을 사고팔 때나 일한 값으로 주고받는 동전이나 지폐.
钱，金钱，钱币
买卖商品或作为劳动代价支付或收取的硬币或纸币。

• 도 (助词) : 이미 있는 어떤 것에 다른 것을 더하거나 포함함을 나타내는 조사.
无对应词汇
表示添加或包括。

• **벌다 (动词)** : 일을 하여 돈을 얻거나 모으다.
赚，挣
通过工作获得或攒下钱财。

• -ㄹ 수 있다 (表达) : 어떤 행동이나 상태가 가능함을 나타내는 표현.
无对应词汇
表示某种行为或状态有可能发生。

• -어서 (语尾) : 이유나 근거를 나타내는 연결 어미.
无对应词汇
表示理由或根据。

• **좋다 (形容词)** : 어떤 일이나 대상이 마음에 들고 만족스럽다.
喜爱，喜欢
某事或某个对象很称心、很满意。

• -아요 (语尾) : (두루높임으로) 어떤 사실을 서술하거나 질문, 명령, 권유함을 나타내는 종결 어미.
无对应词汇
(普尊) 表示叙述某个事实，或提问、命令、劝说。**<叙述>**

< 대화(聊天) > - 38

저는 지금부터 청소를 할게요.
저는 지금부터 청소를 할께요.
jeoneun jigeumbuteo cheongsoreul halgeyo.

그럼, 지아 씨가 청소하는 동안 저는 장을 보러 다녀올게요.
그럼, 지아 씨가 청소하는 동안 저는 장을 보러 다녀올께요.
geureom, jia ssiga cheongsohaneun dongan jeoneun jangeul boreo danyeoolgeyo.

< 설명(说明) / 번역(翻译) >

저+는 지금+부터 청소+를 하+ㄹ게요.
할게요

• **저 (代词)** : 말하는 사람이 듣는 사람에게 자신을 낮추어 가리키는 말.
我
说话人在听话人面前对自己的谦称。

• 는 (助词) : 문장 속에서 어떤 대상이 화제임을 나타내는 조사.
无对应词汇
表示文中某个对象成为话题。

• **지금 (名词)** : 말을 하고 있는 바로 이때.
现在
指正在说话的此时。

• 부터 (助词) : 어떤 일의 시작이나 처음을 나타내는 조사.
从
表示某事的开始或起始。

• **청소 (名词)** : 더럽고 지저분한 것을 깨끗하게 치움.
打扫，清扫，扫除
清除肮脏杂乱的东西。

• 를 (助词) : 동작이 직접적으로 영향을 미치는 대상을 나타내는 조사.
无对应词汇
表示动作直接涉及的对象。

• **하다 (动词)** : 어떤 행동이나 동작, 활동 등을 행하다.
做，干
进行某种行动、动作或活动。

• -ㄹ게요 (表达) : (두루높임으로) 말하는 사람이 어떤 행동을 할 것을 듣는 사람에게 약속하거나 의지를 나타내는 표현.
无对应词汇
(普尊) 表示说话人向听话人约定做某个行为或表达做某个行为的意志。

그럼, 시우 씨+가 청소하+[는 동안] 저+는 장+을 보+러 다녀오+ㄹ게요.
다녀올게요

• **그럼 (副词)** : 앞의 내용을 받아들이거나 그 내용을 바탕으로 하여 새로운 주장을 할 때 쓰는 말.
那么，既然那样
用于表示接受前文内容，或以前文为基础，提出新的主张。

• **시우 (名词)** : 人名

• **씨 (名词)** : 그 사람을 높여 부르거나 이르는 말.
无对应词汇
用于称呼或指称前面的人，表示尊敬。

• 가 (助词) : 어떤 상태나 상황에 놓인 대상이나 동작의 주체를 나타내는 조사.
无对应词汇
表示行为的主体或状态描述的对象。

• **청소하다 (动词)** : 더럽고 지저분한 것을 깨끗하게 치우다.
打扫，清扫 ，扫除
将肮脏杂乱的东西收拾干净。

• -는 동안 (表达) : 앞에 오는 말이 나타내는 행동이나 상태가 계속되는 시간 만큼을 나타내는 표현.
无对应词汇
表示前面所指的行为或状态持续的时间段。

• **저 (代词)** : 말하는 사람이 듣는 사람에게 자신을 낮추어 가리키는 말.
我
说话人在听话人面前对自己的谦称。

• 는 (助词) : 문장 속에서 어떤 대상이 화제임을 나타내는 조사.
无对应词汇
表示文中某个对象成为话题。

• **장 (名词)** : 여러 가지 상품을 사고파는 곳.
市场
买卖各种商品的地方。

• 을 (助词) : 동작이 직접적으로 영향을 미치는 대상을 나타내는 조사.
无对应词汇
表示动作直接涉及的对象。

• **보다 (动词)** : 시장에 가서 물건을 사다.
买货
上市场买东西。

• -러 (语尾) : 가거나 오거나 하는 동작의 목적을 나타내는 연결 어미.
无对应词汇
表示来或去的动作的目的。

• **다녀오다 (动词)** : 어떤 일을 하기 위해 갔다가 오다.
去一趟，去一下
为做某事而去某地后又回来。

• -ㄹ게요 (表达) : (두루높임으로) 말하는 사람이 어떤 행동을 할 것을 듣는 사람에게 약속하거나 의지를 나타내는 표현.
无对应词汇
(普尊) 表示说话人向听话人约定做某个行为或表达做某个行为的意志。

< 대화(聊天) > - 39

지우는 어디 갔어? 아까부터 안 보이네.
지우는 어디 가써? 아까부터 안 보이네.
jiuneun eodi gasseo? akkabuteo an boine.

글쎄, 급한 일이 있는 듯 뛰어가더라.
글쎄, 그판 이리 인는 듣 뛰어가더라.
geulsse, geupan iri inneun deut ttwieogadeora.

< 설명(说明) / 번역(翻译) >

지우+는 어디 가+았+어?
갔어

아까+부터 안 보이+네.

• **지우 (名词)** : 人名

• 는 (助词) : 문장 속에서 어떤 대상이 화제임을 나타내는 조사.
无对应词汇
表示文中某个对象成为话题。

• **어디 (代词)** : 모르는 곳을 가리키는 말.
哪里，哪儿
指代不知道的处所。

• **가다 (动词)** : 한 곳에서 다른 곳으로 장소를 이동하다.
去
从一个地方移动到另一个地方。

• **-았-** (语尾) : 어떤 사건이 과거에 완료되었거나 그 사건의 결과가 현재까지 지속되는 상황을 나타내는 어미.
无对应词汇
表示某一事件已结束或其结果保持到现在。

• -어 (语尾) : (두루낮춤으로) 어떤 사실을 서술하거나 물음, 명령, 권유를 나타내는 종결 어미.
无对应词汇
(普卑) 表示陈述某种事实、询问、命令或劝说。<提问>

• **아까 (名词)** : 조금 전.
刚才，方才，刚刚
不久以前。

• 부터 (助词) : 어떤 일의 시작이나 처음을 나타내는 조사.
从
表示某事的开始或起始。

• **안 (副词)** : 부정이나 반대의 뜻을 나타내는 말.
不
表示否定或反对。

• **보이다 (动词)** : 눈으로 대상의 존재나 겉모습을 알게 되다.
让看见
用眼睛看而得知对象的存在或样子。

• -네 (语尾) : (아주낮춤으로) 지금 깨달은 일에 대하여 말함을 나타내는 종결 어미.
无对应词汇
(高卑) 表示现在觉察到的事情。

글쎄, 급하+ㄴ 일+이 있+[는 듯] 뛰어가+더라.
급한

• **글쎄 (叹词)** : 상대방의 물음이나 요구에 대하여 분명하지 않은 태도를 나타낼 때 쓰는 말.
也许吧，或许吧，难说
对于对方所提出的问题或要求，表现出不确定的态度。

• **급하다 (形容词)** : 사정이나 형편이 빨리 처리해야 할 상태에 있다.
急
处境或情况处于需要赶紧处理的状态。

• -ㄴ (语尾) : 앞의 말이 관형어의 기능을 하게 만들고 현재의 상태를 나타내는 어미.
无对应词汇
使前面的词具有定语功能，表示现在的状态。

• **일 (名词)** : 어떤 내용을 가진 상황이나 사실.
事，事情
带有某种内容的情况或事实。

• 이 (助词) : 어떤 상태나 상황의 대상이나 동작의 주체를 나타내는 조사.
无对应词汇
表示行为的主体或状态描述的对象。

• **있다 (形容词)** : 어떤 일이 이루어지거나 벌어질 계획이다.
有
将要完成或进行某件事情。

• -는 듯 (表达) : 뒤에 오는 말의 내용과 관련하여 짐작할 수 있거나 비슷하다고 여겨지는 상태나 상황을 나타낼 때 쓰는 표현.
好像
与后面的内容有关，表示可推测或认为相似的状态或情况。

• **뛰어가다 (动词)** : 어떤 곳으로 빨리 뛰어서 가다.
跑去，跑到，奔去
向着某个地方快速跑过去。

• -더라 (语尾) : (아주낮춤으로) 말하는 이가 직접 경험하여 새롭게 알게 된 사실을 지금 전달함을 나타내는 종결 어미.
无对应词汇
(高卑) 表示话者现在转达亲身经历所得知的新事实。

< 대화(聊天) > - 40

지아 씨, 어디서 타는 듯한 냄새가 나요.
지아 씨, 어디서 타는 드탄 냄새가 나요.
jia ssi, eodiseo taneun deutan naemsaega nayo.

어머, 냄비를 불에 올려놓고 깜빡 잊어버렸네요.
어머, 냄비를 부레 올려노코 깜빡 이저버련네요.
eomeo, naembireul bure ollyeonoko kkamppak ijeobeoryeonneyo.

< 설명(说明) / 번역(翻译) >

지아 씨, 어디+서 타+[는 듯하]+ㄴ 냄새+가 나+(아)요.
타는 듯한 나요

• **지아 (名词)** : 人名

• **씨 (名词)** : 그 사람을 높여 부르거나 이르는 말.
无对应词汇
用于称呼或指称前面的人，表示尊敬。

• **어디 (代词)** : 정해져 있지 않거나 정확하게 말할 수 없는 어느 곳을 가리키는 말.
哪里，哪儿
指代不确定的或难以准确表述的某个处所。

• 서 (助词) : 앞말이 출발점의 뜻을 나타내는 조사.
无对应词汇
表示前面的内容为出发点。

• **타다 (动词)** : 뜨거운 열을 받아 검은색으로 변할 정도로 지나치게 익다.
焦，糊
由于过度烧、烤而变黑。

• -는 듯하다 (表达) : 앞에 오는 말의 내용을 추측함을 나타내는 표현.
无对应词汇
表示推测前面的内容。

• -ㄴ (语尾) : 앞의 말이 관형어의 기능을 하게 만들고 현재의 상태를 나타내는 어미.
无对应词汇
使前面的词具有定语功能，表示现在的状态。

• **냄새 (名词)** : 코로 맡을 수 있는 기운.
气味，味道，香味，臭味
能用鼻子闻到的味儿。

• 가 (助词) : 어떤 상태나 상황에 놓인 대상이나 동작의 주체를 나타내는 조사.
无对应词汇
表示行为的主体或状态描述的对象。

• **나다 (动词)** : 알아차릴 정도로 소리나 냄새 등이 드러나다.
发出，泛出，响出，有
产生能察觉到的声音或气味等。

• -아요 (语尾) : (두루높임으로) 어떤 사실을 서술하거나 질문, 명령, 권유함을 나타내는 종결 어미.
无对应词汇
(普尊) 表示叙述某个事实，或提问、命令、劝说。**<叙述>**

어머, 냄비+를 불+에 올려놓+고 깜빡 잊어버리+었+네요.
잊어버렸네요

• **어머 (叹词)** : 주로 여자들이 예상하지 못한 일로 갑자기 놀라거나 감탄할 때 내는 소리.
哎哟，哦
主要是女性因没料到的事情感到惊讶或感叹时发出的声音。

• **냄비 (名词)** : 음식을 끓이는 데 쓰는, 솥보다 작고 뚜껑과 손잡이가 있는 그릇.
小锅，汤锅，铝锅
煮食物时使用的器具，比铁锅小，带有盖子和手把。

• 를 (助词) : 동작이 직접적으로 영향을 미치는 대상을 나타내는 조사.
无对应词汇
表示动作直接涉及的对象。

• **불 (名词)** : 물질이 빛과 열을 내며 타는 것.
火
物质散发着光和热而燃烧。

• 에 (助词) : 앞말이 어떤 행위나 작용이 미치는 대상임을 나타내는 조사.
无对应词汇
表示某行为或作用所涉及的对象。

• **올려놓다 (动词)** : 어떤 물건을 무엇의 위쪽에 옮겨다 두다.
放上
将某个东西拿来搁在某物的上方。

• -고 (语尾) : 앞의 말이 나타내는 행동이나 그 결과가 뒤에 오는 행동이 일어나는 동안에 그대로 지속됨을 나타내는 연결 어미.
无对应词汇
表示前面的动作或其结果在后面动作进行的过程中一直持续。

• **깜빡 (副词)** : 기억이나 의식 등이 잠깐 흐려지는 모양.
迷糊
记忆或神志等暂时迷糊不清的样子。

• **잊어버리다 (动词)** : 기억해야 할 것을 한순간 전혀 생각해 내지 못하다.
忘掉
一下子想不起要记住的事情。

• -었- (语尾) : 어떤 사건이 과거에 완료되었거나 그 사건의 결과가 현재까지 지속되는 상황을 나타내는 어미.
无对应词汇
表示某一事件已结束或其结果保持到现在。

• -네요 (表达) : (두루높임으로) 말하는 사람이 직접 경험하여 새롭게 알게 된 사실에 대해 감탄함을 나타낼 때 쓰는 표현.
无对应词汇
(普尊) 表示说话人感叹亲身经历所得知的新事实。

< 대화(聊天) > - 41

너 왜 저녁을 다 안 먹고 남겼니?
너 왜 저녀글 다 안 먹꼬 남견니?
neo wae jeonyeogeul da an meokgo namgyeonni?

저는 먹는 만큼 살이 쪄서 식사량을 줄여야겠어요.
저는 멍는 만큼 사리 쩌서 식싸량을 주려야게써요.
jeoneun meongneun mankeum sari jjeoseo siksaryangeul juryeoyagesseoyo.

< 설명(说明) / 번역(翻译) >

너 왜 저녁+을 다 안 먹+고 남기+었+니?
남겼니

• **너 (代词)** : 듣는 사람이 친구나 아랫사람일 때, 그 사람을 가리키는 말.
你
指代听者，用于朋友或晚辈。

• **왜 (副词)** : 무슨 이유로. 또는 어째서.
为什么
因什么原因；或指怎么。

• **저녁 (名词)** : 저녁에 먹는 밥.
晚饭，晚餐
晚上吃的饭。

• 을 (助词) : 동작이 직접적으로 영향을 미치는 대상을 나타내는 조사.
无对应词汇
表示动作直接涉及的对象。

• **다 (副词)** : 남거나 빠진 것이 없이 모두.
全，都
一点不剩或不落下而全部。

• **안 (副词)** : 부정이나 반대의 뜻을 나타내는 말.
不
表示否定或反对。

• **먹다 (动词)** : 음식 등을 입을 통하여 배 속에 들여보내다.
吃
将食物送进口中并咽下。

• -고 (语尾) : 앞의 말과 뒤의 말이 차례대로 일어남을 나타내는 연결 어미.
无对应词汇
表示前后两件事依次发生。

• **남기다 (动词)** : 다 쓰지 않고 나머지가 있게 하다.
剩，剩下
没用完，留下了一部分。

• -었- (语尾) : 어떤 사건이 과거에 완료되었거나 그 사건의 결과가 현재까지 지속되는 상황을 나타내는 어미.
无对应词汇
表示某一事件已结束或其结果保持到现在。

• -니 (语尾) : (아주낮춤으로) 물음을 나타내는 종결 어미.
无对应词汇
(高卑) 表示询问。

저+는 먹+[는 만큼] 살+이 찌+어서 식사량+을 줄이+어야겠+어요.
쪄서 **줄여야겠어요**

• **저 (代词)** : 말하는 사람이 듣는 사람에게 자신을 낮추어 가리키는 말.
我
说话人在听话人面前对自己的谦称。

• 는 (助词) : 문장 속에서 어떤 대상이 화제임을 나타내는 조사.
无对应词汇
表示文中某个对象成为话题。

• **먹다 (动词)** : 음식 등을 입을 통하여 배 속에 들여보내다.
吃
将食物送进口中并咽下。

• -는 만큼 (表达) : 뒤에 오는 말이 앞에 오는 말과 비례하거나 비슷한 정도 혹은 수량임을 나타내는 표현.
无对应词汇
表示后面的内容和前面的内容成正比或程度数量等相似。

• **살 (名词)** : 사람이나 동물의 몸에서 뼈를 둘러싸고 있는 부드러운 부분.
肉
人或动物的身体中包裹着骨头的柔软部分。

• 이 (助词) : 어떤 상태나 상황의 대상이나 동작의 주체를 나타내는 조사.
无对应词汇
表示行为的主体或状态描述的对象。

• **찌다 (动词)** : 몸에 살이 붙어 뚱뚱해지다.
发胖，长膘
身上长肉变胖。

• -어서 (语尾) : 이유나 근거를 나타내는 연결 어미.
无对应词汇
表示理由或根据。

• **식사량 (名词)** : 음식을 먹는 양.
饭量，食量
吃东西的量。

• 을 (助词) : 동작이 직접적으로 영향을 미치는 대상을 나타내는 조사.
无对应词汇
表示动作直接涉及的对象。

• **줄이다 (动词)** : 수나 양을 원래보다 적게 하다.
减少，缩少，缩减
使数或量变得比原来少。

• -어야겠- (表达) : 앞의 말이 나타내는 행동에 대한 강한 의지를 나타내거나 그 행동을 할 필요가 있음을 완곡하게 말할 때 쓰는 표현.
无对应词汇
表示对前面所指行动的强烈意志，或委婉说出有必要做该行动。

• -어요 (语尾) : (두루높임으로) 어떤 사실을 서술하거나 질문, 명령, 권유함을 나타내는 종결 어미.
无对应词汇
(普尊) 表示叙述某个事实，或提问、命令、劝说。**<叙述>**

< 대화(聊天) > - 42

이 늦은 시간에 라면을 먹어?
이 느즌 시가네 라며늘 머거?
i neujeun sigane ramyeoneul meogeo?

야근하느라 저녁도 못 먹는 바람에 배고파 죽겠어.
야근하느라 저녁또 몯 멍는 바라메 배고파 죽께써.
yageunhaneura jeonyeokdo mot meongneun barame baegopa jukgesseo.

< 설명(说明) / 번역(翻译) >

이 늦+은 시간+에 라면+을 먹+어?

• **이 (冠形词)** : 말하는 사람에게 가까이 있거나 말하는 사람이 생각하고 있는 대상을 가리킬 때 쓰는 말.
这，这个
用于指示与话者离得近的物品，或用于指示话者所想的对象。

• **늦다 (形容词)** : 적당한 때를 지나 있다. 또는 시기가 한창인 때를 지나 있다.
缓慢，晚
过了合适的时候；或错过了最佳时机。

• -은 (语尾) : 앞의 말이 관형어의 기능을 하게 만들고 현재의 상태를 나타내는 어미.
无对应词汇
使前面的词具有定语功能，表示现在的状态。

• **시간 (名词)** : 어떤 일을 하도록 정해진 때. 또는 하루 중의 어느 한 때.
时间
为了做某事而定下的时刻；或指一天中的某个时刻。

• 에 (助词) : 앞말이 시간이나 때임을 나타내는 조사.
无对应词汇
表示时间或时候。

• **라면 (名词)** : 기름에 튀겨 말린 국수와 가루 스프가 들어 있어서 물에 끓이기만 하면 간편하게 먹을 수 있는 음식.
方便面
装有油炸干面和粉末状调味料，经水一煮即可方便食用的食物。

• 을 (助词) : 동작이 직접적으로 영향을 미치는 대상을 나타내는 조사.
无对应词汇
表示动作直接涉及的对象。

• **먹다 (动词)** : 음식 등을 입을 통하여 배 속에 들여보내다.
吃
将食物送进口中并咽下。

• -어 (语尾) : (두루낮춤으로) 어떤 사실을 서술하거나 물음, 명령, 권유를 나타내는 종결 어미.
无对应词汇
(普卑) 表示陈述某种事实、询问、命令或劝说。**<提问>**

야근하+느라고 저녁+도 못 먹+[는 바람에] 배고프(배고ㅍ)+[아 죽]+겠+어.
배고파 죽겠어

• **야근하다 (动词)** : 퇴근 시간이 지나 밤늦게까지 일하다.
上夜班，夜勤
过了下班时间后工作到很晚。

• -느라고 (语尾) : 앞에 오는 말이 나타내는 행동이 뒤에 오는 말의 목적이나 원인이 됨을 나타내는 연결 어미.
无对应词汇
表示前句所指的动作是后句的目的或原因。

• **저녁 (名词)** : 저녁에 먹는 밥.
晚饭，晚餐
晚上吃的饭。

• 도 (助词) : 극단적인 경우를 들어 다른 경우는 말할 것도 없음을 나타내는 조사.
无对应词汇
举出极端事例。

• **못 (副词)** : 동사가 나타내는 동작을 할 수 없게.
无对应词汇
不会做动词所指的动作。

• **먹다 (动词)** : 음식 등을 입을 통하여 배 속에 들여보내다.
吃
将食物送进口中并咽下。

• -는 바람에 (表达) : 앞의 말이 나타내는 행동이나 상태가 뒤에 오는 말의 원인이나 이유가 됨을 나타내는 표현.
无对应词汇
表示前面所指的动作或状态为后面的原因或理由。

• **배고프다 (形容词)** : 배 속이 빈 것을 느껴 음식이 먹고 싶다.
肚子饿
感到肚子空了，想吃东西。

• -아 죽다 (表达) : 앞의 말이 나타내는 상태의 정도가 매우 심함을 나타내는 표현.
无对应词汇
表示前面所指状态的程度极深。

• -겠- (语尾) : 미래의 일이나 추측을 나타내는 어미.
无对应词汇
表示将来或推测。

• -어 (语尾) : (두루낮춤으로) 어떤 사실을 서술하거나 물음, 명령, 권유를 나타내는 종결 어미.
无对应词汇
(普卑) 表示陈述某种事实、询问、命令或劝说。**<叙述>**

< 대화(聊天) > - 43

겨울이 가면 봄이 오는 법이야. 힘들다고 포기하면 안 돼.
겨우리 가면 보미 오는 버비야. 힘들다고 포기하면 안 돼.
gyeouri gamyeon bomi oneun beobiya. himdeuldago pogihamyeon an dwae.

고마워. 네 말에 다시 힘이 나는 것 같아.
고마워. 네 마레 다시 히미 나는 걷 가타.
gomawo. ne mare dasi himi naneun geot gata.

< 설명(说明) / 번역(翻译) >

겨울+이 가+면 봄+이 오+[는 법이]+야.

힘들+다고 포기하+[면 안 되]+어.

포기하면 안 돼

• **겨울 (名词)** : 네 계절 중의 하나로 가을과 봄 사이의 추운 계절.
冬天，冬季
四季中的一个，介于秋天和春天之间的寒冷的季节。

• 이 (助词) : 어떤 상태나 상황의 대상이나 동작의 주체를 나타내는 조사.
无对应词汇
表示行为的主体或状态描述的对象。

• **가다 (动词)** : 시간이 지나거나 흐르다.
过
时间经过或消逝。

• -면 (语尾) : 뒤에 오는 말에 대한 근거나 조건이 됨을 나타내는 연결 어미.
无对应词汇
表示前句为后句的根据或条件。

• **봄 (名词)** : 네 계절 중의 하나로 겨울과 여름 사이의 계절.
春，春天，春季
四季之一，在冬天与夏天之间。

• 이 (助词) : 어떤 상태나 상황의 대상이나 동작의 주체를 나타내는 조사.
无对应词汇
表示行为的主体或状态描述的对象。

• **오다 (动词)** : 어떤 때나 계절 등이 닥치다.
到
某个时间或季节等来临。

• -는 법이다 (表达) : 앞의 말이 나타내는 동작이나 상태가 이미 그렇게 정해져 있거나 그런 것이 당연하다는 뜻을 나타내는 표현.
无对应词汇
表示前面表达的动作或状态是既定的或当然的事情。

• -야 (语尾) : (두루낮춤으로) 어떤 사실에 대하여 서술하거나 물음을 나타내는 종결 어미.
无对应词汇
(普卑) 表示叙述或询问某个事实。<叙述>

• **힘들다 (形容词)** : 마음이 쓰이거나 수고가 되는 면이 있다.
费心，用心，费苦心
有用心思或费力气的一面。

• -다고 (语尾) : 어떤 행위의 목적, 의도를 나타내거나 어떤 상황의 이유, 원인을 나타내는 연결 어미.
无对应词汇
表示某种行为的目的、意图或某种状况的理由、原因。

• **포기하다 (动词)** : 하려던 일이나 생각을 중간에 그만두다.
放弃
中途停止要做的事情或想法。

• -면 안 되다 (表达) : 어떤 행동이나 상태를 금지하거나 제한함을 나타내는 표현.
无对应词汇
表示禁止或限制某个行动或状态。

• -어 (语尾) : (두루낮춤으로) 어떤 사실을 서술하거나 물음, 명령, 권유를 나타내는 종결 어미.
无对应词汇
(普卑) 表示陈述某种事实、询问、命令或劝说。<命令>

고맙(고마우)+어.
고마워

너+의 말+에 다시 힘+이 나+[는 것 같]+아.
네

• **고맙다 (形容词)** : 남이 자신을 위해 무엇을 해주어서 마음이 흐뭇하고 보답하고 싶다.
感谢，感激
因别人为自己做了什么，内心感到很满足，并想给予回报。

• -어 (语尾) : (두루낮춤으로) 어떤 사실을 서술하거나 물음, 명령, 권유를 나타내는 종결 어미.
无对应词汇
(普卑) 表示陈述某种事实、询问、命令或劝说。**<叙述>**

• **너 (代词)** : 듣는 사람이 친구나 아랫사람일 때, 그 사람을 가리키는 말.
你
指代听者，用于朋友或晚辈。

• 의 (助词) : 앞의 말이 뒤의 말에 대하여 소유, 소속, 소재, 관계, 기원, 주체의 관계를 가짐을 나타내는 조사.
的
表示所有、所属、所在、关系、来源、主体等关系。

• **말 (名词)** : 생각이나 느낌을 표현하고 전달하는 사람의 소리.
声，声音
表达想法或感觉的人的声响。

• 에 (助词) : 앞말이 어떤 일의 원인임을 나타내는 조사.
无对应词汇
表示某事的原因。

• **다시 (副词)** : 방법이나 목표 등을 바꿔서 새로이.
再，重新
变换方法或目标等而重做。

• **힘 (名词)** : 용기나 자신감.
力量
勇气或自信。

• 이 (助词) : 어떤 상태나 상황의 대상이나 동작의 주체를 나타내는 조사.
无对应词汇
表示行为的主体或状态描述的对象。

• **나다 (动词)** : 어떤 감정이나 느낌이 생기다.
生，产生
出现某种情感或感觉。

• -는 것 같다 (表达) : 추측을 나타내는 표현.
无对应词汇
表示推测。

• -아 (语尾) : (두루낮춤으로) 어떤 사실을 서술하거나 물음, 명령, 권유를 나타내는 종결 어미.
无对应词汇
(普卑) 表示陈述、询问、命令或劝说某种事实。**<叙述>**

< 대화(聊天) > - 44

쟤는 도대체 여기 언제 온 거야?
쟤는 도대체 여기 언제 온 거야?
jyaeneun dodaeche yeogi eonje on geoya?

아까 네가 잠깐 조는 사이에 왔을걸.
아까 네가 잠깐 조는 사이에 와쓸껄.
akka nega jamkkan joneun saie wasseulgeol.

< 설명(说明) / 번역(翻译) >

쟤+는 도대체 여기 언제 오+[ㄴ 것(거)]+(이)+야?
온 거야

• **쟤 (略词)** : '저 아이'가 줄어든 말.
无对应词汇
"저(那) 아이(第三者)"的缩略语。

• 는 (助词) : 문장 속에서 어떤 대상이 화제임을 나타내는 조사.
无对应词汇
表示文中某个对象成为话题。

• **도대체 (副词)** : 아주 궁금해서 묻는 말인데.
到底，究竟
非常好奇而问的话。

• **여기 (代词)** : 말하는 사람에게 가까운 곳을 가리키는 말.
这里，这儿
指代与说话人较近的地方。

• **언제 (副词)** : 알지 못하는 어느 때에.
什么时候
在不知道的某个时间。

• **오다 (动词)** : 무엇이 다른 곳에서 이곳으로 움직이다.
来，来到
从别的地方移动到这个地方。

• -ㄴ 것 (表达) : 명사가 아닌 것을 문장에서 명사처럼 쓰이게 하거나 '이다' 앞에 쓰일 수 있게 할 때 쓰는 표현.
无对应词汇
用于使非名词的词性在句中用作名词或使其可出现在"이다"前面。

• 이다 (助词) : 주어가 지시하는 대상의 속성이나 부류를 지정하는 뜻을 나타내는 서술격 조사.
无对应词汇
表示指定主语所指示的属性或类型。

• -야 (语尾) : (두루낮춤으로) 어떤 사실에 대하여 서술하거나 물음을 나타내는 종결 어미.
无对应词汇
(普卑) 表示叙述或询问某个事实。**<提问>**

아까 네+가 잠깐 졸(조)+[는 사이]+에 오+았+을걸.
조는 사이에 왔을걸

• **아까 (副词)** : 조금 전에.
刚，刚才
前不久。

• **네 (代词)** : '너'에 조사 '가'가 붙을 때의 형태.
你
"너(你)"后面加助词"가(表示动作主体)"时的形态。

• 가 (助词) : 어떤 상태나 상황에 놓인 대상이나 동작의 주체를 나타내는 조사.
无对应词汇
表示行为的主体或状态描述的对象。

• **잠깐 (副词)** : 아주 짧은 시간 동안에.
一下，暂时地
在非常短暂的时间内。

• **졸다 (动词)** : 완전히 잠이 들지는 않으면서 자꾸 잠이 들려는 상태가 되다.
打盹儿，打瞌睡
没完全睡着，但总处于想入睡的状态。

• -는 사이 (表达) : 어떤 행동이나 상황이 일어나는 중간의 어느 짧은 시간을 나타내는 표현.
无对应词汇
表示在进行某个动作或情况中的某一瞬间。

• 에 (助词) : 앞말이 시간이나 때임을 나타내는 조사.
无对应词汇
表示时间或时候。

• **오다 (动词)** : 무엇이 다른 곳에서 이곳으로 움직이다.
来，来到
从别的地方移动到这个地方。

• -았- (语尾) : 어떤 사건이 과거에 완료되었거나 그 사건의 결과가 현재까지 지속되는 상황을 나타내는 어미.
无对应词汇
表示某一事件已结束或其结果保持到现在。

• -을걸 (语尾) : (두루낮춤으로) 미루어 짐작하거나 추측함을 나타내는 종결 어미.
无对应词汇
(普卑) 表示推断估计或推测。

< 대화(聊天) > - 45

오빠, 저 내일 친구들이랑 스키 타러 갈 거예요.
오빠, 저 내일 친구드리랑 스키 타러 갈 꺼예요.
oppa, jeo naeil chingudeurirang seuki tareo gal geoyeyo.

그래? 자칫하면 다칠 수 있으니까 조심해라.
그래? 자치타면 다칠 쑤 이쓰니까 조심해라.
geurae? jachitamyeon dachil su isseunikka josimhaera.

< 설명(说明) / 번역(翻译) >

오빠, 저 내일 친구+들+이랑 스키 타+러 가+[ㄹ 것(거)]+이+에요.
갈 거예요

• **오빠 (名词)** : 여자가 자기보다 나이 많은 남자를 다정하게 이르거나 부르는 말.
哥哥，大哥
女子用于亲切地指称或称呼比自己年长的男性。

• **저 (代词)** : 말하는 사람이 듣는 사람에게 자신을 낮추어 가리키는 말.
我
说话人在听话人面前对自己的谦称。

• **내일 (副词)** : 오늘의 다음 날에.
明天
今天的第二天。

• **친구 (名词)** : 사이가 가까워 서로 친하게 지내는 사람.
朋友，好友， 友人，故旧
关系亲近而交往甚密的人。

• 들 (词缀) : '복수'의 뜻을 더하는 접미사.
无对应词汇
指"复数"。

• 이랑 (助词) : 어떤 일을 함께 하는 대상임을 나타내는 조사.
和，跟
引进一起做某事的对象。

• **스키 (名词)** : 눈 위로 미끄러져 가도록 나무나 플라스틱으로 만든 좁고 긴 기구.
滑雪板
用木头或塑料制成的长条形工具，可以踩着在雪上滑行。

• **타다 (动词)** : 바닥이 미끄러운 곳에서 기구를 이용해 미끄러지다.
溜，滑
在地面光滑的地方利用工具滑行。

• -러 (语尾) : 가거나 오거나 하는 동작의 목적을 나타내는 연결 어미.
无对应词汇
表示来或去的动作的目的。

• **가다 (动词)** : 어떤 목적을 가지고 일정한 곳으로 움직이다.
去，上
为某种目的而向某个地方移动。

• -ㄹ 것 (表达) : 명사가 아닌 것을 문장에서 명사처럼 쓰이게 하거나 '이다' 앞에 쓰일 수 있게 할 때 쓰는 표현.
无对应词汇
用于使非名词在句中用作名词或使其能用在"이다"前面。

• 이다 (助词) : 주어가 지시하는 대상의 속성이나 부류를 지정하는 뜻을 나타내는 서술격 조사.
无对应词汇
表示指定主语所指示的属性或类型。

• -에요 (语尾) : (두루높임으로) 어떤 사실을 서술하거나 질문함을 나타내는 종결 어미.
无对应词汇
(普尊) 表示叙述或询问某个事实。**<叙述>**

그래?

자칫하+면 다치+[ㄹ 수 있]+으니까 조심하+여라.

다칠 수 있으니까 조심해라

• **그래 (叹词)** : 상대편의 말에 대한 감탄이나 가벼운 놀라움을 나타낼 때 쓰는 말.
真的
用于对对方所说的话表示感叹或轻微的惊讶。

• **자칫하다 (动词)** : 어쩌다가 조금 어긋나거나 잘못되다.
一不留神，稍不注意
一不小心稍微出了点差池或失误。

• -면 (语尾) : 뒤에 오는 말에 대한 근거나 조건이 됨을 나타내는 연결 어미.
无对应词汇
表示前句为后句的根据或条件。

• **다치다 (动词)** : 부딪치거나 맞거나 하여 몸이나 몸의 일부에 상처가 생기다. 또는 상처가 생기게 하다.
受伤，负伤，弄伤
被撞到或被打后身上或身体的一部分出现伤口；或指使出现伤口。

• -ㄹ 수 있다 (表达) : 어떤 행동이나 상태가 가능함을 나타내는 표현.
无对应词汇
表示某种行为或状态有可能发生。

• -으니까 (语尾) : 뒤에 오는 말에 대하여 앞에 오는 말이 원인이나 근거, 전제가 됨을 강조하여 나타내는 연결 어미.
无对应词汇
表示强调前句为后句的原因、依据或前提。

• **조심하다 (动词)** : 좋지 않은 일을 겪지 않도록 말이나 행동 등에 주의를 하다.
小心，谨慎，留心
为避免惹祸而注意言行。

• -여라 (语尾) : (아주낮춤으로) 명령을 나타내는 종결 어미.
无对应词汇
(高卑) 表示命令。

< 대화(聊天) > - 46

우산이 없는데 어떻게 하지?
우사니 엄는데 어떠케 하지?
usani eomneunde eotteoke haji?

그냥 비를 맞는 수밖에 없지, 뭐. 뛰어.
그냥 비를 만는 수바께 업찌, 뭐. 뛰어.
geunyang bireul manneun subakke eopji, mwo. ttwieo.

< 설명(说明) / 번역(翻译) >

우산+이 없+는데 어떻게 하+지?

• **우산 (名词)** : 긴 막대 위에 지붕 같은 막을 펼쳐서 비가 올 때 손에 들고 머리 위를 가리는 도구.
雨伞
在长竿上铺上像遮盖物一样的膜，下雨时用手举着遮雨的工具。

• 이 (助词) : 어떤 상태나 상황의 대상이나 동작의 주체를 나타내는 조사.
无对应词汇
表示行为的主体或状态描述的对象。

• **없다 (形容词)** : 어떤 물건을 가지고 있지 않거나 자격이나 능력 등을 갖추지 않은 상태이다.
没有
不具有某物，或不具备资格、能力。

• -는데 (语尾) : 뒤의 말을 하기 위하여 그 대상과 관련이 있는 상황을 미리 말함을 나타내는 연결 어미.
无对应词汇
表示为了说后面的话而先说与其相关的状况。

• **어떻게 (副词)** : 어떤 방법으로. 또는 어떤 방식으로.
怎么
以什么办法；或指以什么方式。

• **하다 (动词)** : 어떤 방식으로 행위를 이루다.
无对应词汇
以某种方式构成行为。

• -지 (语尾) : (두루낮춤으로) 말하는 사람이 듣는 사람에게 친근함을 나타내며 물을 때 쓰는 종결 어미.
无对应词汇
(普卑) 表示说话人亲切询问听话人。

그냥 비+를 맞+[는 수밖에 없]+지, 뭐.

뛰+어.

• **그냥 (副词)** : 그런 모양으로 그대로 계속하여.
照样，一直
依照原来的样子继续。

• **비 (名词)** : 높은 곳에서 구름을 이루고 있던 수증기가 식어서 뭉쳐 떨어지는 물방울.
雨
高空中形成云朵的水蒸气冷却凝聚后降落而下的水滴。

• 를 (助词) : 동작이 직접적으로 영향을 미치는 대상을 나타내는 조사.
无对应词汇
表示动作直接涉及的对象。

• **맞다 (动词)** : 내리는 눈이나 비 등이 닿는 것을 그대로 받다.
淋
不避开而迎着下的雨雪等。

• -는 수밖에 없다 (表达) : 그것 말고는 다른 방법이나 가능성이 없음을 나타내는 표현.
只好
没有其他的方法或可能。

• -지 (语尾) : (두루낮춤으로) 말하는 사람이 자신에 대한 이야기나 자신의 생각을 친근하게 말할 때 쓰는 종결 어미.
无对应词汇
(普卑) 表示说话人亲切地说出自己的故事或想法。

• **뭐 (叹词)** : 더 이상 여러 말 할 것 없다는 뜻으로 어떤 사실을 체념하여 받아들이며 하는 말.
无对应词汇
表示不用再多说什么，接受事实。

• **뛰다 (动词)** : 발을 재빠르게 움직여 빨리 나아가다.
跑，奔跑
快速挪动双脚，迅速向前行进。

• -어 (语尾) : (두루낮춤으로) 어떤 사실을 서술하거나 물음, 명령, 권유를 나타내는 종결 어미.
无对应词汇
(普卑) 表示陈述某种事实、询问、命令或劝说。**<命令>**

< 대화(聊天) > - 47

지우는 성격이 참 좋은 것 같아요.
지우는 성껴기 참 조은 걷 가타요.
jiuneun seonggyeogi cham joeun geot gatayo.

맞아요. 걔는 아무리 일이 바빠도 인상 한 번 찌푸리는 적이 없어요.
마자요. 걔는 아무리 이리 바빠도 인상 한 번 찌푸리는 저기 업써요.
majayo. gyaeneun amuri iri bappado insang han beon jjipurineun jeogi eopseoyo.

< 설명(说明) / 번역(翻译) >

지우+는 성격+이 참 좋+[은 것 같]+아요.

• **지우 (名词)** : 人名

• 는 (助词) : 문장 속에서 어떤 대상이 화제임을 나타내는 조사.
无对应词汇
表示文中某个对象成为话题。

• **성격 (名词)** : 개인이 가지고 있는 고유한 성질이나 품성.
性格
个人具有的固有脾气或品性。

• 이 (助词) : 어떤 상태나 상황의 대상이나 동작의 주체를 나타내는 조사.
无对应词汇
表示行为的主体或状态描述的对象。

• **참 (副词)** : 사실이나 이치에 조금도 어긋남이 없이 정말로.
真，实在，的确
毫不违背事实或道理，真正地。

• **좋다 (形容词)** : 성격 등이 원만하고 착하다.
好，美，善
性格等宽厚善良。

• -은 것 같다 (表达) : 추측을 나타내는 표현.
无对应词汇
表示推测。

• -아요 (语尾) : (두루높임으로) 어떤 사실을 서술하거나 질문, 명령, 권유함을 나타내는 종결 어미.
无对应词汇
(普尊) 表示叙述某个事实，或提问、命令、劝说。<叙述>

맞+아요.

걔+는 아무리 일+이 <u>바쁘(바ㅃ)+아도</u> 인상 한 번 찌푸리+[는 적이 없]+어요.
바빠도

• **맞다 (动词)** : 그렇거나 옳다.
对
正是或没错。

• -아요 (语尾) : (두루높임으로) 어떤 사실을 서술하거나 질문, 명령, 권유함을 나타내는 종결 어미.
无对应词汇
(普尊) 表示叙述某个事实，或提问、命令、劝说。<叙述>

• **걔 (略词)** : '그 아이'가 줄어든 말.
无对应词汇
"그(那个) 아이(第三者)"的缩略语。

• 는 (助词) : 문장 속에서 어떤 대상이 화제임을 나타내는 조사.
无对应词汇
表示文中某个对象成为话题。

• **아무리 (副词)** : 정도가 매우 심하게.
怎么
程度非常深地。

• **일 (名词)** : 무엇을 이루려고 몸이나 정신을 사용하는 활동. 또는 그 활동의 대상.
事情，工作
为了实现某事而使用身体或精神的活动；或指该活动的对象。

• 이 (助词) : 어떤 상태나 상황의 대상이나 동작의 주체를 나타내는 조사.
无对应词汇
表示行为的主体或状态描述的对象。

• **바쁘다 (形容词)** : 할 일이 많거나 시간이 없어서 다른 것을 할 여유가 없다.
忙，忙碌，紧张
因为要做的事情多或没有时间而无暇顾及其他。

• -아도 (语尾) : 앞에 오는 말을 가정하거나 인정하지만 뒤에 오는 말에는 관계가 없거나 영향을 끼치지 않음을 나타내는 연결 어미.
无对应词汇
表示虽然假设或承认前句某种状况，但和后句内容没有关系或不会对此造成影响。

• **인상 (名词)** : 사람 얼굴의 생김새.
相貌，面相
人的面容。

• **한 (冠形词)** : 하나의.
一
一个的。

• **번 (名词)** : 일의 횟수를 세는 단위.
次，遍
计算事情次数的数量单位。

• **찌푸리다 (动词)** : 얼굴의 근육이나 눈살 등을 몹시 찡그리다.
皱眉，锁眉，蹙眉
紧皱着脸上的肌肉或眉头。

• -는 적이 없다 (表达) : 앞의 말이 나타내는 동작이 진행되거나 그 상태가 나타나는 때가 없음을 나타내는 표현.
无对应词汇
表示前面所指的动作没有发生过，或那种状态没有出现过。

• -어요 (语尾) : (두루높임으로) 어떤 사실을 서술하거나 질문, 명령, 권유함을 나타내는 종결 어미.
无对应词汇
(普尊) 表示叙述某个事实，或提问、命令、劝说。

< 대화(聊天) > - 48

명절에 한복 입어 본 적 있어요?
명저레 한복 이버 본 적 이써요?
myeongjeore hanbok ibeo bon jeok isseoyo?

그럼요. 어렸을 때 부모님하고 고향에 내려가면서 입었었죠.
그러묘. 어려쓸 때 부모님하고 고향에 내려가면서 이버썯쬬.
geureomyo. eoryeosseul ttae bumonimhago gohyange naeryeogamyeonseo ibeosseotjyo.

< 설명(说明) / 번역(翻译) >

명절+에 한복 입+[어 보]+[ㄴ 적 있]+어요?

입어 본 적 있어요

- **명절 (名词)** : 설이나 추석 등 해마다 일정하게 돌아와 전통적으로 즐기거나 기념하는 날.
  节日
  春节、中秋等每年固定的传统庆祝日或纪念日。

- 에 (助词) : 앞말이 시간이나 때임을 나타내는 조사.
  无对应词汇
  表示时间或时候。

- **한복 (名词)** : 한국의 전통 의복.
  韩服
  韩国的传统服装。

- **입다 (动词)** : 옷을 몸에 걸치거나 두르다.
  穿
  将衣服披或裹在身上。

- -어 보다 (表达) : 앞의 말이 나타내는 행동을 이전에 경험했음을 나타내는 표현.
  无对应词汇
  表示以前经历过前面所指的行动。

- -ㄴ 적(이) 있다 (表达) : 앞의 말이 나타내는 동작이 일어나거나 그 상태가 나타난 때가 있음을 나타내는 표현.
  无对应词汇
  表示前面表达的动作发生过或那种状态出现过。

• -어요 (语尾) : (두루높임으로) 어떤 사실을 서술하거나 질문, 명령, 권유함을 나타내는 종결 어미.
无对应词汇
(普尊) 表示叙述某个事实，或提问、命令、劝说。**<提问>**

그럼+요.

어리+었+[을 때] 부모님+하고 고향+에 내려가+면서 입+었었+죠.
어렸을 때

• **그럼 (叹词)** : 말할 것도 없이 당연하다는 뜻으로 대답할 때 쓰는 말.
可不是，就是，当然
用于肯定回答，表示自不必说，没有疑问。

• 요 (助词) : 높임의 대상인 상대방에게 존대의 뜻을 나타내는 조사.
无对应词汇
对于尊敬的对象表示尊重。主要用在在名词、副词、连接词尾后。

• **어리다 (形容词)** : 나이가 적다.
年轻
年纪小。

• -었- (语尾) : 사건이 과거에 일어났음을 나타내는 어미.
无对应词汇
表示过去。

• -을 때 (表达) : 어떤 행동이나 상황이 일어나는 동안이나 그 시기 또는 그러한 일이 일어난 경우를 나타내는 표현.
无对应词汇
表示某种行动或状况发生的期间、时期或情况。

• **부모님 (名词)** : (높이는 말로) 부모.
父母
(敬语) 父亲和母亲。

• 하고 (助词) : 어떤 일을 함께 하는 대상임을 나타내는 조사.
和，跟
表示一起做某事的对象。

• **고향 (名词)** : 태어나서 자란 곳.
故乡，家乡
出生成长的地方。

• 에 (助词) : 앞말이 목적지이거나 어떤 행위의 진행 방향임을 나타내는 조사.
无对应词汇
表示目的地或某行为进行的方向。

• **내려가다 (动词)** : 도심이나 중심지에서 지방으로 가다.
下
从市中心或中心地区到地方去。

• -면서 (语尾) : 두 가지 이상의 동작이나 상태가 함께 일어남을 나타내는 연결 어미.
无对应词汇
表示同时发生两个以上的动作或状态。

• **입다 (动词)** : 옷을 몸에 걸치거나 두르다.
穿
将衣服披或裹在身上。

• -었었- (语尾) : 현재와 비교하여 다르거나 현재로 이어지지 않는 과거의 사건을 나타내는 어미.
无对应词汇
表示过去的事件跟现在不同，或未持续到现在。

• -죠 (语尾) : (두루높임으로) 말하는 사람이 자신에 대한 이야기나 자신의 생각을 친근하게 말할 때 쓰는 종결 어미.
无对应词汇
(普尊) 表示说话人亲切地说出自己的故事或想法。

< 대화(聊天) > - 49

왜 이렇게 늦었어? 한참 기다렸잖아.
왜 이러케 느저써? 한참 기다렫짜나.
wae ireoke neujeosseo? hancham gidaryeotjana.

미안해, 오후에도 이렇게 차가 막히는 줄 몰랐어.
미안해, 오후에도 이러케 차가 마키는 줄 몰라써.
mianhae, ohuedo ireoke chaga makineun jul mollasseo.

< 설명(说明) / 번역(翻译) >

왜 이렇+게 늦+었+어?

한참 기다리+었+잖아.
기다렸잖아

• **왜 (副词)** : 무슨 이유로. 또는 어째서.
为什么
因什么原因；或指怎么。

• **이렇다 (形容词)** : 상태, 모양, 성질 등이 이와 같다.
这样
表示状态、样子、性质等与此相同。

• -게 (语尾) : 앞의 말이 뒤에서 가리키는 일의 목적이나 결과, 방식, 정도 등이 됨을 나타내는 연결 어미.
无对应词汇
表示前面的内容为后面所指事情的目的、结果、方式或程度等。

• **늦다 (动词)** : 정해진 때보다 지나다.
晚，迟到
过了已定的时间。

• -었- (语尾) : 어떤 사건이 과거에 완료되었거나 그 사건의 결과가 현재까지 지속되는 상황을 나타내는 어미.
无对应词汇
表示某一事件已结束或其结果保持到现在。

• -어 (语尾) : (두루낮춤으로) 어떤 사실을 서술하거나 물음, 명령, 권유를 나타내는 종결 어미.
无对应词汇
(普卑) 表示陈述某种事实、询问、命令或劝说。**<提问>**

• **한참 (名词)** : 시간이 꽤 지나는 동안.
一阵，好一阵，好一会，老半天，大半天
时间过了很久。

• **기다리다 (动词)** : 사람, 때가 오거나 어떤 일이 이루어질 때까지 시간을 보내다.
等，等待
直到人、时机到来或某事完成为止，一直打发时间。

• -었- (语尾) : 어떤 사건이 과거에 완료되었거나 그 사건의 결과가 현재까지 지속되는 상황을 나타내는 어미.
无对应词汇
表示某一事件已结束或其结果保持到现在。

• -잖아 (表达) : (두루낮춤으로) 어떤 상황에 대해 말하는 사람이 상대방에게 확인하거나 정정해 주듯이 말함을 나타내는 표현.
无对应词汇
(普卑) 表示说话人向对方以确认或更正的语气说出某种情况。

미안하+여.
미안해

오후+에+도 이렇+게 차+가 막히+[는 줄] 모르(몰ㄹ)+았+어.
몰랐어

• **미안하다 (形容词)** : 남에게 잘못을 하여 마음이 편치 못하고 부끄럽다.
抱歉，愧疚，不好意思，过意不去
由于做了对不起他人的事情，而感到不安或内疚。

• -여 (语尾) : (두루낮춤으로) 어떤 사실을 서술하거나 물음, 명령, 권유를 나타내는 종결 어미.
无对应词汇
(普卑) 表示陈述某种事实、询问、命令或劝说。**<叙述>**

• **오후 (名词)** : 정오부터 해가 질 때까지의 동안.
下午，午后
从中午到太阳落山的期间。

• 에 (助词) : 앞말이 시간이나 때임을 나타내는 조사.
无对应词汇
表示时间或时候。

• 도 (助词) : 일반적이지 않은 경우나 의외의 경우를 강조함을 나타내는 조사.
无对应词汇
表示强调不一般或出乎意料。

• **이렇다 (形容词)** : 상태, 모양, 성질 등이 이와 같다.
这样
表示状态、样子、性质等与此相同。

• -게 (语尾) : 앞의 말이 뒤에서 가리키는 일의 목적이나 결과, 방식, 정도 등이 됨을 나타내는 연결 어미.
无对应词汇
表示前面的内容为后面所指事情的目的、结果、方式或程度等。

• **차 (名词)** : 바퀴가 달려 있어 사람이나 짐을 실어 나르는 기관.
车，车辆
搬运人或行李的带轮子的机械。

• 가 (助词) : 어떤 상태나 상황에 놓인 대상이나 동작의 주체를 나타내는 조사.
无对应词汇
表示行为的主体或状态描述的对象。

• **막히다 (动词)** : 길에 차가 많아 차가 제대로 가지 못하게 되다.
堵住
由于交通堵塞，车辆无法正常行驶。

• -는 줄 (表达) : 어떤 사실이나 상태에 대해 알고 있거나 모르고 있음을 나타내는 표현.
无对应词汇
表示知道或不知道某个事实或状态。

• **모르다 (动词)** : 사람이나 사물, 사실 등을 알지 못하거나 이해하지 못하다.
不知道，不认识，不懂
不清楚或不了解人或事物、事实等。

• -았- (语尾) : 어떤 사건이 과거에 완료되었거나 그 사건의 결과가 현재까지 지속되는 상황을 나타내는 어미.
无对应词汇
表示某一事件已结束或其结果保持到现在。

• -어 (语尾) : (두루낮춤으로) 어떤 사실을 서술하거나 물음, 명령, 권유를 나타내는 종결 어미.
无对应词汇
(普卑) 表示陈述某种事实、询问、命令或劝说。**<叙述>**

< 대화(聊天) > - 50

지아 씨, 하던 일은 다 됐어요?
지아 씨, 하던 이른 다 돼써요?
jia ssi, hadeon ireun da dwaesseoyo?

네, 잠깐만요. 지금 마무리하는 중이에요.
네, 잠깐마뇨. 지금 마무리하는 중이에요.
ne, jamkkanmanyo. jigeum mamurihaneun jungieyo.

< 설명(说明) / 번역(翻译) >

지아 씨, 하+던 일+은 다 되+었+어요?
됐어요

• **지아 (名词)** : 人名

• **씨 (名词)** : 그 사람을 높여 부르거나 이르는 말.
无对应词汇
用于称呼或指称前面的人，表示尊敬。

• **하다 (动词)** : 어떤 행동이나 동작, 활동 등을 행하다.
做，干
进行某种行动、动作或活动。

• -던 (语尾) : 앞의 말이 관형어의 기능을 하게 만들고 사건이나 동작이 과거에 완료되지 않고 중단되었음을 나타내는 어미.
无对应词汇
使前面的词具有定语功能，表示事件或动作过去未完成而停止。

• **일 (名词)** : 무엇을 이루려고 몸이나 정신을 사용하는 활동. 또는 그 활동의 대상.
事情，工作
为了实现某事而使用身体或精神的活动；或指该活动的对象。

• 은 (助词) : 문장 속에서 어떤 대상이 화제임을 나타내는 조사.
无对应词汇
表示某个对象是句中的话题。

• **다 (副词)** : 남거나 빠진 것이 없이 모두.
全，都
一点不剩或不落下而全部。

• **되다 (动词)** : 어떤 사물이나 현상이 생겨나거나 만들어지다.
形成，完成
某个事物或现象产生或被制造。

• -었- (语尾) : 어떤 사건이 과거에 완료되었거나 그 사건의 결과가 현재까지 지속되는 상황을 나타내는 어미.
无对应词汇
表示某一事件已结束或其结果保持到现在。

• -어요 (语尾) : (두루높임으로) 어떤 사실을 서술하거나 질문, 명령, 권유함을 나타내는 종결 어미.
无对应词汇
(普尊) 表示叙述某个事实，或提问、命令、劝说。**<提问>**

네, 잠깐+만+요.

지금 마무리하+[는 중이]+에요.

• **네 (叹词)** : 윗사람의 물음이나 명령 등에 긍정하여 대답할 때 쓰는 말.
是，行
用于肯定回答长辈所提出的问题或命令等。

• **잠깐 (名词)** : 아주 짧은 시간 동안.
暂时，一会儿，片刻
非常短的时间。

• 만 (助词) : 무엇을 강조하는 뜻을 나타내는 조사.
无对应词汇
表示强调。

• 요 (助词) : 높임의 대상인 상대방에게 존대의 뜻을 나타내는 조사.
无对应词汇
对于尊敬的对象表示尊重。主要用在在名词、副词、连接词尾后。

• **지금 (副词)** : 말을 하고 있는 바로 이때에. 또는 그 즉시에.
现在，这会儿
在说话的当时；或此时此刻。

• **마무리하다 (动词)** : 일을 끝내다.
完成，结束，收尾
做完事情。

• -는 중이다 (表达) : 어떤 일이 진행되고 있음을 나타내는 표현.
无对应词汇
表示某个事情在进行中。

• -에요 (语尾) : (두루높임으로) 어떤 사실을 서술하거나 질문함을 나타내는 종결 어미.
无对应词汇
(普尊) 表示叙述或询问某个事实。**<叙述>**

< 대화(聊天) > - 51

추워? 내 옷 벗어 줄까?
추워? 내 옫 버서 줄까?
chuwo? nae ot beoseo julkka?

괜찮아. 너도 추위를 많이 타는데 괜히 멋있는 척하지 않아도 돼.
괜차나. 너도 추위를 마니 타는데 괜히 머신는 처카지 아나도 돼.
gwaenchana. neodo chuwireul mani taneunde gwaenhi meosinneun cheokaji anado dwae.

< 설명(说明) / 번역(翻译) >

춥(추우)+어?
추워

나+의 옷 벗+[어 주]+ㄹ까?
내 벗어 줄까

• **춥다 (形容词)** : 몸으로 느끼기에 기온이 낮다.
冷
身体感觉到的气温低。

• -어 (语尾) : (두루낮춤으로) 어떤 사실을 서술하거나 물음, 명령, 권유를 나타내는 종결 어미.
无对应词汇
(普卑) 表示陈述某种事实、询问、命令或劝说。**<提问>**

• **나 (代词)** : 말하는 사람이 친구나 아랫사람에게 자기를 가리키는 말.
我
说话人在朋友或晚辈面前用来指称自己。

• 의 (助词) : 앞의 말이 뒤의 말에 대하여 소유, 소속, 소재, 관계, 기원, 주체의 관계를 가짐을 나타내는 조사.
的
表示所有、所属、所在、关系、来源、主体等关系。

• **옷 (名词)** : 사람의 몸을 가리고 더위나 추위 등으로부터 보호하며 멋을 내기 위하여 입는 것.
衣服，衣裳，服装
为遮掩身体、防晒抗寒以及追求美观而穿的遮挡物。

• **벗다 (动词)** : 사람이 몸에 지닌 물건이나 옷 등을 몸에서 떼어 내다.
脱下，摘下
人从身上取下所持的东西或衣服等。

• -어 주다 (表达) : 남을 위해 앞의 말이 나타내는 행동을 함을 나타내는 표현.
给
表示为别人做前面表达的行动。

• -ㄹ까 (语尾) : (두루낮춤으로) 듣는 사람의 의사를 물을 때 쓰는 종결 어미.
无对应词汇
(普卑) 表示询问听话人的想法。

괜찮+아.

너+도 추위+를 많이 타+는데 괜히 멋있+[는 척하]+[지 않]+[아도 되]+어.

멋있는 척하지 않아도 돼

• **괜찮다 (形容词)** : 별 문제가 없다.
无恙，没事
没有特别的问题。

• -아 (语尾) : (두루낮춤으로) 어떤 사실을 서술하거나 물음, 명령, 권유를 나타내는 종결 어미.
无对应词汇
(普卑) 表示陈述、询问、命令或劝说某种事实。**<叙述>**

• **너 (代词)** : 듣는 사람이 친구나 아랫사람일 때, 그 사람을 가리키는 말.
你
指代听者，用于朋友或晚辈。

• 도 (助词) : 이미 있는 어떤 것에 다른 것을 더하거나 포함함을 나타내는 조사.
无对应词汇
表示添加或包括。

• **추위 (名词)** : 주로 겨울철의 추운 기운이나 추운 날씨.
寒冷，冷
主要指冬季的寒气或冷天气。

• 를 (助词) : 동작이 직접적으로 영향을 미치는 대상을 나타내는 조사.
无对应词汇
表示动作直接涉及的对象。

- **많이 (副词)** : 수나 양, 정도 등이 일정한 기준보다 넘게.
  多
  数、量、程度等超过一定标准地。

- **타다 (动词)** : 날씨나 계절의 영향을 쉽게 받다.
  不耐，怕，不禁
  易受天气或季节的影响。

- -는데 (语尾) : 뒤의 말을 하기 위하여 그 대상과 관련이 있는 상황을 미리 말함을 나타내는 연결 어미.
  无对应词汇
  表示为了说后面的话而先说与其相关的状况。

- **괜히 (副词)** : 특별한 이유나 실속이 없게.
  白白地，徒然，平白无故地
  没有特别的理由，华而不实地。

- **멋있다 (形容词)** : 매우 좋거나 훌륭하다.
  帅气，优秀
  很好或很出众。

- -는 척하다 (表达) : 실제로 그렇지 않은데도 어떤 행동이나 상태를 거짓으로 꾸밈을 나타내는 표현.
  无对应词汇
  表示虽然与实际不符，但假装做出某种行为或状态。

- -지 않다 (表达) : 앞의 말이 나타내는 행위나 상태를 부정하는 뜻을 나타내는 표현.
  无对应词汇
  表示否定前面所指的行为或状态。

- -아도 되다 (表达) : 어떤 행동에 대한 허락이나 허용을 나타낼 때 쓰는 표현.
  无对应词汇
  表示允许或同意某个行动。

- -어 (语尾) : (두루낮춤으로) 어떤 사실을 서술하거나 물음, 명령, 권유를 나타내는 종결 어미.
  无对应词汇
  (普卑) 表示陈述某种事实、询问、命令或劝说。**<叙述>**

< 대화(聊天) > - 52

어제 친구들이 너 몰래 생일 파티를 준비해서 깜짝 놀랐다면서?
어제 친구드리 너 몰래 생일 파티를 준비해서 깜짝 놀랃따면서?
eoje chingudeuri neo mollae saengil patireul junbihaeseo kkamjjak nollatdamyeonseo?

사실은 미리 눈치를 챘었는데 그래도 놀라는 체했지.
사시른 미리 눈치를 채썬는데 그래도 놀라는 체핻찌.
sasireun miri nunchireul chaesseonneunde geuraedo nollaneun chehaetji.

< 설명(说明) / 번역(翻译) >

어제 친구+들+이 너 몰래 생일 파티+를 준비하+여서 깜짝 놀라+았+다면서?

준비해서　　놀랐다면서

• **어제 (副词)** : 오늘의 하루 전날에.
昨天，昨日
在今天的前一天。

• **친구 (名词)** : 사이가 가까워 서로 친하게 지내는 사람.
朋友，好友， 友人，故旧
关系亲近而交往甚密的人。

• 들 (词缀) : ‘복수’의 뜻을 더하는 접미사.
无对应词汇
指“复数”。

• 이 (助词) : 어떤 상태나 상황의 대상이나 동작의 주체를 나타내는 조사.
无对应词汇
表示行为的主体或状态描述的对象。

• **너 (代词)** : 듣는 사람이 친구나 아랫사람일 때, 그 사람을 가리키는 말.
你
指代听者，用于朋友或晚辈。

• **몰래 (副词)** : 남이 알지 못하게.
偷偷地，暗中
不让人察觉地。

• **생일 (名词)** : 사람이 세상에 태어난 날.
生日，生辰
人出生的日子。

• **파티 (名词)** : 친목을 도모하거나 무엇을 기념하기 위한 잔치나 모임.
聚会，派对
为增进友谊或纪念什么事情而举行的宴会或集会。

• 를 (助词) : 동작이 직접적으로 영향을 미치는 대상을 나타내는 조사.
无对应词汇
表示动作直接涉及的对象。

• **준비하다 (动词)** : 미리 마련하여 갖추다.
准备
事先筹备。

• -여서 (语尾) : 이유나 근거를 나타내는 연결 어미.
无对应词汇
表示理由或根据。

• **깜짝 (副词)** : 갑자기 놀라는 모양.
一惊
突然间受惊的样子。

• **놀라다 (动词)** : 뜻밖의 일을 당하거나 무서워서 순간적으로 긴장하거나 가슴이 뛰다.
惊吓，吃惊
因遭到意外或害怕而在刹那间感到紧张或心跳加速。

• -았- (语尾) : 사건이 과거에 일어났음을 나타내는 어미.
无对应词汇
表示事件发生在过去。

• -다면서 (语尾) : (두루낮춤으로) 말하는 사람이 들어서 아는 사실을 확인하여 물음을 나타내는 종결 어미.
无对应词汇
(普卑) 表示说话人对听到的事实进行核实询问。

사실+은 미리 눈치+를 채+었었+는데 그러+어도 놀라+[는 체하]+였+지.

챘었는데 그래도 놀라는 체했지

• **사실 (名词)** : 겉으로 드러나지 않은 일을 솔직하게 말할 때 쓰는 말.
事实上，其实
用于直率地说出表面上看不出的事实。

• 은 (助词) : 문장 속에서 어떤 대상이 화제임을 나타내는 조사.
无对应词汇
表示某个对象是句中的话题。

• **미리 (副词)** : 어떤 일이 있기 전에 먼저.
事先，预先，事前，提前
先于某件事情发生之前。

• **눈치 (名词)** : 상대가 말하지 않아도 그 사람의 마음이나 일의 상황을 이해하고 아는 능력.
眼力，眼力见儿
即使对方不说也能理解或知道对方的心情或事情状况的能力。

• 를 (助词) : 동작이 직접적으로 영향을 미치는 대상을 나타내는 조사.
无对应词汇
表示动作直接涉及的对象。

• **채다 (动词)** : 사정이나 형편을 재빨리 미루어 헤아리거나 깨닫다.
猜到，察觉，看出
快速推断出或意识到某种情况或状况。

• -었었- (语尾) : 현재와 비교하여 다르거나 현재로 이어지지 않는 과거의 사건을 나타내는 어미.
无对应词汇
表示过去的事件跟现在不同，或未持续到现在。

• -는데 (语尾) : 뒤의 말을 하기 위하여 그 대상과 관련이 있는 상황을 미리 말함을 나타내는 연결 어미.
无对应词汇
表示为了说后面的话而先说与其相关的状况。

• **그러다 (动词)** : 앞에서 일어난 일이나 말한 것과 같이 그렇게 하다.
那样子
像前面发生过的事或说过的话一样地做。

• -어도 (语尾) : 앞에 오는 말을 가정하거나 인정하지만 뒤에 오는 말에는 관계가 없거나 영향을 끼치지 않음을 나타내는 연결 어미.
无对应词汇
表示虽然假设或承认前句某种状况，但和后句内容没有关系或不会对此造成影响。

• **놀라다 (动词)** : 뜻밖의 일을 당하거나 무서워서 순간적으로 긴장하거나 가슴이 뛰다.
惊吓，吃惊
因遭到意外或害怕而在刹那间感到紧张或心跳加速。

• -는 체하다 (表达) : 실제로 그렇지 않은데도 어떤 행동이나 상태를 거짓으로 꾸밈을 나타내는 표현.
无对应词汇
虽然与实际不符，但假装做出某种行为或状态。

- -였- (语尾) : 사건이 과거에 일어났음을 나타내는 어미.

  无对应词汇

  表示事件发生在过去。

- -지 (语尾) : (두루낮춤으로) 말하는 사람이 자신에 대한 이야기나 자신의 생각을 친근하게 말할 때 쓰는 종결 어미.

  无对应词汇

  (普卑) 表示说话人亲切地说出自己的故事或想法。

< 대화(聊天) > - 53

영화를 보는 것이 취미라고 하셨는데 영화를 자주 보세요?
영화를 보는 거시 취미라고 하션는데 영화를 자주 보세요?
yeonghwareul boneun geosi chwimirago hasyeonneunde yeonghwareul jaju boseyo?

일주일에 한 편 이상 보니까 자주 보는 편이죠.
일쭈이레 한 편 이상 보니까 자주 보는 펴니죠.
iljuire han pyeon isang bonikka jaju boneun pyeonijyo.

< 설명(说明) / 번역(翻译) >

영화+를 보+[는 것]+이 취미+(이)+라고 하+시+었+는데
취미라고 하셨는데

영화+를 자주 보+세요?

• **영화 (名词)** : 일정한 의미를 갖고 움직이는 대상을 촬영하여 영사기로 영사막에 비추어서 보게 하는 종합 예술.
电影
含有一定的意义，拍摄移动的对象，用放映机投影到银幕上看的综合性艺术。

• 를 (助词) : 동작이 직접적으로 영향을 미치는 대상을 나타내는 조사.
无对应词汇
表示动作直接涉及的对象。

• **보다 (动词)** : 눈으로 대상을 즐기거나 감상하다.
看，观看，观赏
用眼睛享受或欣赏某个对象。

• -는 것 (表达) : 명사가 아닌 것을 문장에서 명사처럼 쓰이게 하거나 '이다' 앞에 쓰일 수 있게 할 때 쓰는 표현.
无对应词汇
用于使非名词在句中用作名词或使其可出现在"이다"前面。

• 이 (助词) : 어떤 상태나 상황의 대상이나 동작의 주체를 나타내는 조사.
无对应词汇
表示行为的主体或状态描述的对象。

• **취미 (名词)** : 좋아하여 재미로 즐겨서 하는 일.
爱好，嗜好，趣味，兴趣
喜欢而为了乐趣做的事。

• 이다 (助词) : 주어가 지시하는 대상의 속성이나 부류를 지정하는 뜻을 나타내는 서술격 조사.
无对应词汇
表示指定主语所指示的属性或类型。

• -라고 (表达) : 다른 사람에게서 들은 내용을 간접적으로 전달하거나 주어의 생각, 의견 등을 나타내는 표현.
无对应词汇
用于间接转述他人所说的话或表达主语的想法、意见等。

• **하다 (动词)** : 무엇에 대해 말하다.
无对应词汇
表示引用。

• -시- (语尾) : 어떤 동작이나 상태의 주체를 높이는 뜻을 나타내는 어미.
无对应词汇
表示对某个动作或状态主体的尊敬。

• -었- (语尾) : 사건이 과거에 일어났음을 나타내는 어미.
无对应词汇
表示过去。

• -는데 (语尾) : 뒤의 말을 하기 위하여 그 대상과 관련이 있는 상황을 미리 말함을 나타내는 연결 어미.
无对应词汇
表示为了说后面的话而先说与其相关的状况。

• **영화 (名词)** : 일정한 의미를 갖고 움직이는 대상을 촬영하여 영사기로 영사막에 비추어서 보게 하는 종합 예술.
电影
含有一定的意义，拍摄移动的对象，用放映机投影到银幕上看的综合性艺术。

• 를 (助词) : 동작이 직접적으로 영향을 미치는 대상을 나타내는 조사.
无对应词汇
表示动作直接涉及的对象。

• **자주 (副词)** : 같은 일이 되풀이되는 간격이 짧게.
常常，经常
重复做同样事情的间隔短暂地。

• **보다 (动词)** : 눈으로 대상을 즐기거나 감상하다.
看，观看，观赏
用眼睛享受或欣赏某个对象。

• -세요 (语尾) : (두루높임으로) 설명, 의문, 명령, 요청의 뜻을 나타내는 종결 어미.
无对应词汇
(普尊) 表示说明、疑问、命令、请求。<提问>

일주일+에 한 편 이상 보+니까 자주 보+[는 편이]+죠.

• **일주일 (名词)** : 월요일부터 일요일까지 칠 일. 또는 한 주일.
一周，一星期
从周一开始到周日的七天；或指一周。

• 에 (助词) : 앞말이 기준이 되는 대상이나 단위임을 나타내는 조사.
无对应词汇
表示作为标准的对象或单位。

• **한 (冠形词)** : 하나의.
一
一个的。

• **편 (名词)** : 책이나 문학 작품, 또는 영화나 연극 등을 세는 단위.
篇，部，首
计算书、文学作品、电影或话剧等的数量单位。

• **이상 (名词)** : 수량이나 정도가 일정한 기준을 포함하여 그보다 많거나 나은 것.
以上
数量或程度好于或高于一定基准。

• **보다 (动词)** : 눈으로 대상을 즐기거나 감상하다.
看，观看，观赏
用眼睛享受或欣赏某个对象。

• -니까 (语尾) : 뒤에 오는 말에 대하여 앞에 오는 말이 원인이나 근거, 전제가 됨을 강조하여 나타내는 연결 어미.
无对应词汇
表示强调前句为后句的原因、依据或前提。

• **자주 (副词)** : 같은 일이 되풀이되는 간격이 짧게.
常常，经常
重复做同样事情的间隔短暂地。

• **보다 (动词)** : 눈으로 대상을 즐기거나 감상하다.
看，观看，观赏
用眼睛享受或欣赏某个对象。

• -는 편이다 (表达) : 어떤 사실을 단정적으로 말하기보다는 대체로 어떤 쪽에 가깝다거나 속한다고 말할 때 쓰는 표현.

无对应词汇

表示某个事实大概接近或隶属某一边，而不是断言。

• -죠 (语尾) : (두루높임으로) 말하는 사람이 자신에 대한 이야기나 자신의 생각을 친근하게 말할 때 쓰는 종결 어미.

无对应词汇

(普尊) 表示说话人亲切地说出自己的故事或想法。

< 대화(聊天) > - 54

지아 씨, 이번 대회 우승을 축하합니다.
지아 씨, 이번 대회 우승을 추카함니다.
jia ssi, ibeon daehoe useungeul chukahamnida.

고맙습니다. 제가 음악을 계속하는 한 이 우승의 감격은 잊지 못할 것입니다.
고맙씀니다. 제가 으마글 계소카는 한 이 우승의(우승에) 감겨근 읻찌 모탈 꺼심니다.
gomapseumnida. jega eumageul gyesokaneun han i useungui(useunge) gamgyeogeun itji motal geosimnida.

< 설명(说明) / 번역(翻译) >

지아 씨, 이번 대회 우승+을 축하하+ㅂ니다.
축하합니다

• **지아 (名词)** : 人名

• **씨 (名词)** : 그 사람을 높여 부르거나 이르는 말.
无对应词汇
用于称呼或指称前面的人，表示尊敬。

• **이번 (名词)** : 곧 돌아올 차례. 또는 막 지나간 차례.
这次，这回
马上到来的顺序；或指刚过去的顺序。

• **대회 (名词)** : 여러 사람이 실력이나 기술을 겨루는 행사.
比赛，大赛
许多人较量实力或技术的活动。

• **우승 (名词)** : 경기나 시합에서 상대를 모두 이겨 일 위를 차지함.
冠军，第一名
在比赛中全部战胜对方，获得第一。

• 을 (助词) : 동작이 직접적으로 영향을 미치는 대상을 나타내는 조사.
无对应词汇
表示动作直接涉及的对象。

• **축하하다 (动词)** : 남의 좋은 일에 대하여 기쁜 마음으로 인사하다.
祝贺，庆贺，道贺
对于别人发生的好事开心地表示问候。

• -ㅂ니다 (语尾) : (아주높임으로) 현재의 동작이나 상태, 사실을 정중하게 설명함을 나타내는 종결 어미.
无对应词汇
(高尊) 表示以郑重的语气说明现在的动作、状态或事实。

고맙+습니다.

제+가 음악+을 계속하+[는 한]

이 우승+의 감격+은 잊+[지 못하]+[ㄹ 것]+이+ㅂ니다.
잊지 못할 것입니다

• **고맙다 (形容词)** : 남이 자신을 위해 무엇을 해주어서 마음이 흐뭇하고 보답하고 싶다.
感谢，感激
因别人为自己做了什么，内心感到很满足，并想给予回报。

• -습니다 (语尾) : (아주높임으로) 현재의 동작이나 상태, 사실을 정중하게 설명함을 나타내는 종결 어미.
无对应词汇
(高尊) 表示以郑重的语气说明现在的动作、状态或事实。

• **제 (代词)** : 말하는 사람이 자신을 낮추어 가리키는 말인 '저'에 조사 '가'가 붙을 때의 형태.
我
说话人对自己的谦称"저"后加助词"가"的形态。

• 가 (助词) : 어떤 상태나 상황에 놓인 대상이나 동작의 주체를 나타내는 조사.
无对应词汇
表示行为的主体或状态描述的对象。

• **음악 (名词)** : 목소리나 악기로 박자와 가락이 있게 소리 내어 생각이나 감정을 표현하는 예술.
音乐
用嗓音或乐器按照拍子和节奏发出声音，表达想法或感情的艺术。

• 을 (助词) : 동작이 직접적으로 영향을 미치는 대상을 나타내는 조사.
无对应词汇
表示动作直接涉及的对象。

• **계속하다 (动词)** : 끊지 않고 이어 나가다.
继续，持续
连续不中断。

• -는 한 (表达) : 앞에 오는 말이 뒤의 행위나 상태에 대해 전제나 조건이 됨을 나타내는 표현.
无对应词汇
表示前面所指的内容为后面行为或状态的前提或条件。

• **이 (冠形词)** : 말하는 사람에게 가까이 있거나 말하는 사람이 생각하고 있는 대상을 가리킬 때 쓰는 말.
这，这个
用于指示与话者离得近的物品，或用于指示话者所想的对象。

• **우승 (名词)** : 경기나 시합에서 상대를 모두 이겨 일 위를 차지함.
冠军，第一名
在比赛中全部战胜对方，获得第一。

• 의 (助词) : 앞의 말이 뒤의 말에 대하여 속성이나 수량을 한정하거나 같은 자격임을 나타내는 조사.
无对应词汇
表示限定属性或数量，或相同资格。

• **감격 (名词)** : 마음에 깊이 느끼어 매우 감동함. 또는 그 감동.
激动，感慨
内心深深地感受到，非常感动；或指那种感动。

• 은 (助词) : 강조의 뜻을 나타내는 조사.
无对应词汇
表示强调。

• **잊다 (动词)** : 한번 알았던 것을 기억하지 못하거나 기억해 내지 못하다.
忘，忘记，忘却
本来知道的事情记不住或记不起来。

• -지 못하다 (表达) : 앞의 말이 나타내는 행동을 할 능력이 없거나 주어의 의지대로 되지 않음을 나타내는 표현.
无对应词汇
表示没有能力做前面所指的行为，或不如主语所愿。

• -ㄹ 것 (表达) : 명사가 아닌 것을 문장에서 명사처럼 쓰이게 하거나 '이다' 앞에 쓰일 수 있게 할 때 쓰는 표현.
无对应词汇
用于使非名词在句中用作名词或使其能用在“이다”前面。

• 이다 (助词) : 주어가 지시하는 대상의 속성이나 부류를 지정하는 뜻을 나타내는 서술격 조사.
无对应词汇
表示指定主语所指示的属性或类型。

• -ㅂ니다 (语尾) : (아주높임으로) 현재의 동작이나 상태, 사실을 정중하게 설명함을 나타내는 종결 어미.
无对应词汇
(高尊) 表示以郑重的语气说明现在的动作、状态或事实。

< 대화(聊天) > - 55

지아 씨, 영화 홍보는 어떻게 되고 있어요?
지아 씨, 영화 홍보는 어떠케 되고 이써요?
jia ssi, yeonghwa hongboneun eotteoke doego isseoyo?

길거리 홍보 활동을 벌이는 한편 관객을 초대해서 무료 시사회를 하기로 했어요.
길꺼리 홍보 활동을 버리는 한편 관개글 초대해서 무료 시사회를 하기로 해써요.
gilgeori hongbo hwaldongeul beorineun hanpyeon gwangaegeul chodaehaeseo muryo sisahoereul hagiro haesseoyo.

< 설명(说明) / 번역(翻译) >

지아 씨, 영화 홍보+는 어떻게 되+[고 있]+어요?

• **지아 (名词)** : 人名

• **씨 (名词)** : 그 사람을 높여 부르거나 이르는 말.
无对应词汇
用于称呼或指称前面的人，表示尊敬。

• **영화 (名词)** : 일정한 의미를 갖고 움직이는 대상을 촬영하여 영사기로 영사막에 비추어서 보게 하는 종합 예술.
电影
含有一定的意义，拍摄移动的对象，用放映机投影到银幕上看的综合性艺术。

• **홍보 (名词)** : 널리 알림. 또는 그 소식.
宣传
广而告之；或指该消息。

• 는 (助词) : 문장 속에서 어떤 대상이 화제임을 나타내는 조사.
无对应词汇
表示文中某个对象成为话题。

• **어떻게 (副词)** : 어떤 방법으로. 또는 어떤 방식으로.
怎么
以什么办法；或指以什么方式。

• **되다 (动词)** : 일이 잘 이루어지다.
顺利，不错
事情发展得很好。

• -고 있다 (表达) : 앞의 말이 나타내는 행동이 계속 진행됨을 나타내는 표현.
正，在，正在
表示持续进行前一句所指的行为。

• -어요 (语尾) : (두루높임으로) 어떤 사실을 서술하거나 질문, 명령, 권유함을 나타내는 종결 어미.
无对应词汇
(普尊) 表示叙述某个事实，或提问、命令、劝说。**<提问>**

길거리 홍보 활동+을 벌이+[는 한편] 관객+을 초대하+여서

초대해서

무료 시사회+를 하+[기로 하]+였+어요.

하기로 했어요

• **길거리 (名词)** : 사람이나 차가 다니는 길.
大街，街头，马路
供人或车马通行的道路。

• **홍보 (名词)** : 널리 알림. 또는 그 소식.
宣传
广而告之；或指该消息。

• **활동 (名词)** : 어떤 일에서 좋은 결과를 거두기 위해 힘씀.
活动
为在某事中取得好结果而努力。

• 을 (助词) : 동작이 직접적으로 영향을 미치는 대상을 나타내는 조사.
无对应词汇
表示动作直接涉及的对象。

• **벌이다 (动词)** : 일을 계획하여 시작하거나 펼치다.
进行，开展
有计划地开始或展开某事。

• -는 한편 (表达) : 앞의 말이 나타내는 일을 하는 동시에 다른 쪽에서 또 다른 일을 함을 나타내는 표현.
无对应词汇
表示在做前面所指的事情的同时，又在另一边做别的事情。

• **관객 (名词)** : 운동 경기, 영화, 연극, 음악회, 무용 공연 등을 구경하는 사람.
观众
观看运动比赛、电影、戏剧、音乐会、舞蹈演出等的人。

• 을 (助词) : 동작이 직접적으로 영향을 미치는 대상을 나타내는 조사.
无对应词汇
表示动作直接涉及的对象。

• **초대하다 (动词)** : 다른 사람에게 어떤 자리, 모임, 행사 등에 와 달라고 요청하다.
邀请，招待
请人来参加某些场合、聚会、活动等。

• -여서 (语尾) : 앞의 말과 뒤의 말이 순차적으로 일어남을 나타내는 연결 어미.
无对应词汇
表示前后内容依次发生。

• **무료 (名词)** : 요금이 없음.
免费
不收费用。

• **시사회 (名词)** : 영화나 광고 등을 일반에게 보이기 전에 몇몇 사람들에게 먼저 보이고 평가를 받기 위한 모임.
试映会
电影或广告等在公开放映前，为听取意见，而先给一些人放映的聚会。

• 를 (助词) : 동작이 직접적으로 영향을 미치는 대상을 나타내는 조사.
无对应词汇
表示动作直接涉及的对象。

• **하다 (动词)** : 어떤 행동이나 동작, 활동 등을 행하다.
做，干
进行某种行动、动作或活动。

• -기로 하다 (表达) : 앞의 말이 나타내는 행동을 할 것을 결심하거나 약속함을 나타내는 표현.
无对应词汇
表示下决心或约好进行前指行为。

• -였- (语尾) : 어떤 사건이 과거에 완료되었거나 그 사건의 결과가 현재까지 지속되는 상황을 나타내는 어미.

无对应词汇

表示某一事件已结束或其结果保持到现在。

• -어요 (语尾) : (두루높임으로) 어떤 사실을 서술하거나 질문, 명령, 권유함을 나타내는 종결 어미.

无对应词汇

(普尊) 表示叙述某个事实，或提问、命令、劝说。**<叙述>**

< 대화(聊天) > - 56

왜 절뚝거리면서 걸어요?
왜 절뚝꺼리면서 거러요?
wae jeolttukgeorimyeonseo georeoyo?

예전에 교통사고로 다리를 다쳤는데 평소에 괜찮다가도 비만 오면 다시 아파요.
예저네 교통사고로 다리를 다쳔는데 평소에 괜찬다가도 비만 오면 다시 아파요.
yejeone gyotongsagoro darireul dacheonneunde pyeongsoe gwaenchantagado biman omyeon dasi apayo.

< 설명(说明) / 번역(翻译) >

왜 절뚝거리+면서 걷(걸)+어요?
걸어요

- **왜 (副词)** : 무슨 이유로. 또는 어째서.
  为什么
  因什么原因；或指怎么。

- **절뚝거리다 (动词)** : 한쪽 다리가 짧거나 다쳐서 자꾸 중심을 잃고 절다.
  一瘸一拐
  一侧腿短或受伤而总是失去重心，跛着腿走。

- -면서 (语尾) : 두 가지 이상의 동작이나 상태가 함께 일어남을 나타내는 연결 어미.
  无对应词汇
  表示同时发生两个以上的动作或状态。

- **걷다 (动词)** : 바닥에서 발을 번갈아 떼어 옮기면서 움직여 위치를 옮기다.
  走，行走，步行
  在地上交替着抬起并移动脚，改换位置。

- -어요 (语尾) : (두루높임으로) 어떤 사실을 서술하거나 질문, 명령, 권유함을 나타내는 종결 어미.
  无对应词汇
  (普尊) 表示叙述某个事实，或提问、命令、劝说。**<提问>**

예전+에 교통사고+로 다리+를 다치+었+는데 평소+에 괜찮+다가도
다쳤는데

비+만 오+면 다시 아프(아ㅍ)+아요.
아파요

• **예전 (名词)** : 꽤 시간이 흐른 지난날.
很久以前
过去很久的往日。

• 에 (助词) : 앞말이 시간이나 때임을 나타내는 조사.
无对应词汇
表示时间或时候。

• **교통사고 (名词)** : 자동차나 기차 등이 다른 교통 기관과 부딪치거나 사람을 치는 사고.
交通事故
汽车或火车等与其他交通工具相撞或撞到人的事故。

• 로 (助词) : 어떤 일의 원인이나 이유를 나타내는 조사.
无对应词汇
表示某事的原因或理由。

• **다리 (名词)** : 사람이나 동물의 몸통 아래에 붙어, 서고 걷고 뛰는 일을 하는 신체 부위.
腿，下肢
人或动物身体下的，做站、走、跳的动作的身体部位。

• 를 (助词) : 동작이 직접적으로 영향을 미치는 대상을 나타내는 조사.
无对应词汇
表示动作直接涉及的对象。

• **다치다 (动词)** : 부딪치거나 맞거나 하여 몸이나 몸의 일부에 상처가 생기다. 또는 상처가 생기게 하다.
受伤，负伤，弄伤
被撞到或被打后身上或身体的一部分出现伤口；或指使出现伤口。

• -었- (语尾) : 사건이 과거에 일어났음을 나타내는 어미.
无对应词汇
表示过去。

• -는데 (语尾) : 뒤의 말을 하기 위하여 그 대상과 관련이 있는 상황을 미리 말함을 나타내는 연결 어미.
无对应词汇
表示为了说后面的话而先说与其相关的状况。

• **평소 (名词)** : 특별한 일이 없는 보통 때.
平常，平时，平日
没有特别事情，通常的时候。

• 에 (助词) : 앞말이 시간이나 때임을 나타내는 조사.
无对应词汇
表示时间或时候。

• **괜찮다 (形容词)** : 별 문제가 없다.
无恙，没事
没有特别的问题。

• -다가도 (表达) : 앞의 말이 나타내는 행위나 상태가 다른 행위나 상태로 쉽게 바뀜을 나타내는 표현.
无对应词汇
表示前面所指的动作或状态等容易转为另一动作或状态。

• **비 (名词)** : 높은 곳에서 구름을 이루고 있던 수증기가 식어서 뭉쳐 떨어지는 물방울.
雨
高空中形成云朵的水蒸气冷却凝聚后降落而下的水滴。

• 만 (助词) : 앞의 말이 어떤 것에 대한 조건임을 나타내는 조사.
无对应词汇
表示限制条件。

• **오다 (动词)** : 비, 눈 등이 내리거나 추위 등이 닥치다.
下，来
降雨雪或寒潮来临。

• -면 (语尾) : 뒤에 오는 말에 대한 근거나 조건이 됨을 나타내는 연결 어미.
无对应词汇
表示前句为后句的根据或条件。

• **다시 (副词)** : 같은 말이나 행동을 반복해서 또.
再，再次
反复相同的话或行动。

• **아프다 (形容词)** : 다치거나 병이 생겨 통증이나 괴로움을 느끼다.
疼， 痛，不舒服
因受伤或生病，而感到痛症或痛苦。

• -아요 (语尾) : (두루높임으로) 어떤 사실을 서술하거나 질문, 명령, 권유함을 나타내는 종결 어미.
无对应词汇
(普尊) 表示叙述某个事实，或提问、命令、劝说。**<叙述>**

< 대화(聊天) > - 57

한국어를 잘하게 된 방법이 뭐니?
한구거를 잘하게 된 방버비 뭐니?
hangugeoreul jalhage doen bangbeobi mwoni?

한국 음악을 좋아해서 많이 듣다 보니까 한국어를 잘하게 됐어.
한국 으마글 조아해서 마니 듣따 보니까 한구거를 잘하게 돼써.
hanguk eumageul joahaeseo mani deutda bonikka hangugeoreul jalhage dwaesseo.

< 설명(说明) / 번역(翻译) >

한국어+를 잘하+[게 되]+ㄴ 방법+이 뭐+(이)+니?
잘하게 된 **뭐니**

• **한국어 (名词)** : 한국에서 사용하는 말.
韩国语，韩语
韩国使用的语言。

• 를 (助词) : 동작이 직접적으로 영향을 미치는 대상을 나타내는 조사.
无对应词汇
表示动作直接涉及的对象。

• **잘하다 (动词)** : 익숙하고 솜씨가 있게 하다.
善于，擅长
熟练且手艺好。

• -게 되다 (表达) : 앞의 말이 나타내는 상태나 상황이 됨을 나타내는 표현.
无对应词汇
表示成为前面内容所表达的状态或状况。

• -ㄴ (语尾) : 앞의 말이 관형어의 기능을 하게 만들고 사건이나 동작이 완료되어 그 상태가 유지되고 있음을 나타내는 어미.
无对应词汇
使前面的词具有定语功能，表示事件或动作完成后其状态一直持续。

• **방법 (名词)** : 어떤 일을 해 나가기 위한 수단이나 방식.
方法，办法
处理某事的手段或方式。

• 이 (助词) : 어떤 상태나 상황의 대상이나 동작의 주체를 나타내는 조사.
无对应词汇
表示行为的主体或状态描述的对象。

• **뭐 (代词)** : 모르는 사실이나 사물을 가리키는 말.
什么
指代不知道的事实或事物。

• 이다 (助词) : 주어가 지시하는 대상의 속성이나 부류를 지정하는 뜻을 나타내는 서술격 조사.
无对应词汇
表示指定主语所指示的属性或类型。

• -니 (语尾) : (아주낮춤으로) 물음을 나타내는 종결 어미.
无对应词汇
(高卑) 表示询问。

한국 음악+을 좋아하+여서 많이 듣+[다(가) 보]+니까
좋아해서 듣다 보니까

한국어+를 잘하+[게 되]+었+어.
잘하게 됐어

• **한국 (名词)** : 아시아 대륙의 동쪽에 있는 나라. 한반도와 그 부속 섬들로 이루어져 있으며, 대한민국이라고도 부른다. 1950년에 일어난 육이오 전쟁 이후 휴전선을 사이에 두고 국토가 둘로 나뉘었다. 언어는 한국어이고, 수도는 서울이다.
韩国
位于亚洲大陆东部的一个国家，由朝鲜半岛及其附属岛屿构成，也被称为大韩民国。
1950年朝鲜战争爆发后，其国土以休战线为界被分为两部分。语言为韩国语，首都为首尔。

• **음악 (名词)** : 목소리나 악기로 박자와 가락이 있게 소리 내어 생각이나 감정을 표현하는 예술.
音乐
用嗓音或乐器按照拍子和节奏发出声音，表达想法或感情的艺术。

• 을 (助词) : 동작이 직접적으로 영향을 미치는 대상을 나타내는 조사.
无对应词汇
表示动作直接涉及的对象。

• **좋아하다 (动词)** : 무엇에 대하여 좋은 느낌을 가지다.
喜欢
对某事抱有好感。

• -여서 (语尾) : 이유나 근거를 나타내는 연결 어미.
无对应词汇
表示理由或根据。

• **많이 (副词)** : 수나 양, 정도 등이 일정한 기준보다 넘게.
多
数、量、程度等超过一定标准地。

• **듣다 (动词)** : 귀로 소리를 알아차리다.
听
用耳朵接受声音。

• -다가 보다 (表达) : 앞에 오는 말이 나타내는 행동을 하는 과정에서 뒤에 오는 말이 나타내는 사실을 새로 깨닫게 됨을 나타내는 표현.
无对应词汇
表示在做前面行动的过程中，新发现后面的事实。

• -니까 (语尾) : 뒤에 오는 말에 대하여 앞에 오는 말이 원인이나 근거, 전제가 됨을 강조하여 나타내는 연결 어미.
无对应词汇
表示强调前句为后句的原因、依据或前提。

• **한국어 (名词)** : 한국에서 사용하는 말.
韩国语，韩语
韩国使用的语言。

• 를 (助词) : 동작이 직접적으로 영향을 미치는 대상을 나타내는 조사.
无对应词汇
表示动作直接涉及的对象。

• **잘하다 (动词)** : 익숙하고 솜씨가 있게 하다.
善于，擅长
熟练且手艺好。

• -게 되다 (表达) : 앞의 말이 나타내는 상태나 상황이 됨을 나타내는 표현.
无对应词汇
表示成为前面内容所表达的状态或状况。

• -었- (语尾) : 어떤 사건이 과거에 완료되었거나 그 사건의 결과가 현재까지 지속되는 상황을 나타내는 어미.
无对应词汇
表示某一事件已结束或其结果保持到现在。

• -어 (语尾) : (두루낮춤으로) 어떤 사실을 서술하거나 물음, 명령, 권유를 나타내는 종결 어미.
无对应词汇
(普卑) 表示陈述某种事实、询问、命令或劝说。**<叙述>**

< 대화(聊天) > - 58

너 이 영화 봤어?
너 이 영화 봐써?
neo i yeonghwa bwasseo?

나는 못 보고 우리 형이 봤는데 내용이 엄청 슬프다고 그러더라.
나는 몯 보고 우리 형이 봔는데 내용이 엄청 슬프다고 그러더라.
naneun mot bogo uri hyeongi bwanneunde naeyongi eomcheong seulpeudago geureodeora.

< 설명(说明) / 번역(翻译) >

너 이 영화 보+았+어?

봤어

• **너 (代词)** : 듣는 사람이 친구나 아랫사람일 때, 그 사람을 가리키는 말.
你
指代听者，用于朋友或晚辈。

• **이 (冠形词)** : 말하는 사람에게 가까이 있거나 말하는 사람이 생각하고 있는 대상을 가리킬 때 쓰는 말.
这，这个
用于指示与话者离得近的物品，或用于指示话者所想的对象。

• **영화 (名词)** : 일정한 의미를 갖고 움직이는 대상을 촬영하여 영사기로 영사막에 비추어서 보게 하는 종합 예술.
电影
含有一定的意义，拍摄移动的对象，用放映机投影到银幕上看的综合性艺术。

• **보다 (动词)** : 눈으로 대상을 즐기거나 감상하다.
看，观看，观赏
用眼睛享受或欣赏某个对象。

• -았- (语尾) : 어떤 사건이 과거에 완료되었거나 그 사건의 결과가 현재까지 지속되는 상황을 나타내는 어미.
无对应词汇
表示某一事件已结束或其结果保持到现在。

• -어 (语尾) : (두루낮춤으로) 어떤 사실을 서술하거나 물음, 명령, 권유를 나타내는 종결 어미.
无对应词汇
(普卑) 表示陈述某种事实、询问、命令或劝说。**<提问>**

나+는 못 보+고 우리 형+이 보+았+는데 내용+이 엄청 슬프+다고 그러+더라.
봤는데

• **나 (代词)** : 말하는 사람이 친구나 아랫사람에게 자기를 가리키는 말.
我
说话人在朋友或晚辈面前用来指称自己。

• 는 (助词) : 어떤 대상이 다른 것과 대조됨을 나타내는 조사.
无对应词汇
表示某个对象与另一个形成对照。

• **못 (副词)** : 동사가 나타내는 동작을 할 수 없게.
无对应词汇
不会做动词所指的动作。

• **보다 (动词)** : 눈으로 대상을 즐기거나 감상하다.
看，观看，观赏
用眼睛享受或欣赏某个对象。

• -고 (语尾) : 두 가지 이상의 대등한 사실을 나열할 때 쓰는 연결 어미.
无对应词汇
表示罗列两个以上的对等的事实。

• **우리 (代词)** : 말하는 사람이 자기보다 높지 않은 사람에게 자기와 관련된 것을 친근하게 나타낼 때 쓰는 말.
我，我们
说话人亲切地指代与自己有关的一些对象。一般对没有自己身份地位高的人使用。

• **형 (名词)** : 남자가 형제나 친척 형제들 중에서 자기보다 나이가 많은 남자를 이르거나 부르는 말.
哥，哥哥
男子用于指称或称呼兄弟姐妹或亲戚兄弟姐妹中比自己年长的男性。

• 이 (助词) : 어떤 상태나 상황의 대상이나 동작의 주체를 나타내는 조사.
无对应词汇
表示行为的主体或状态描述的对象。

• **보다 (动词)** : 눈으로 대상을 즐기거나 감싱하다.
看，观看，观赏
用眼睛享受或欣赏某个对象。

• -았- (语尾) : 어떤 사건이 과거에 완료되었거나 그 사건의 결과가 현재까지 지속되는 상황을 나타내는 어미.
无对应词汇
表示某一事件已结束或其结果保持到现在。

• -는데 (语尾) : 뒤의 말을 하기 위하여 그 대상과 관련이 있는 상황을 미리 말함을 나타내는 연결 어미.
无对应词汇
表示为了说后面的话而先说与其相关的状况。

• **내용 (名词)** : 말, 글, 그림, 영화 등의 줄거리. 또는 그것들로 전하고자 하는 것.
内容
言语、文章、画作、电影等的情节；或指想借此传递的信息。

• 이 (助词) : 어떤 상태나 상황의 대상이나 동작의 주체를 나타내는 조사.
无对应词汇
表示行为的主体或状态描述的对象。

• **엄청 (副词)** : 양이나 정도가 아주 지나치게.
相当，特别
量或程度十分过分地。

• **슬프다 (形容词)** : 눈물이 날 만큼 마음이 아프고 괴롭다.
悲伤的，伤心的
心里痛苦难受得落泪。

• -다고 (表达) : 다른 사람에게서 들은 내용을 간접적으로 전달하거나 주어의 생각, 의견 등을 나타내는 표현.
无对应词汇
用于间接转述他人所说的话或表达主语的想法、意见等。

• **그러다 (动词)** : 그렇게 말하다.
那么说
那样地说。

• -더라 (语尾) : (아주낮춤으로) 말하는 이가 직접 경험하여 새롭게 알게 된 사실을 지금 전달함을 나타내는 종결 어미.
无对应词汇
(高卑) 表示话者现在转达亲身经历所得知的新事实。

< 대화(聊天) > - 59

뭘 만들기에 이렇게 냄새가 좋아요?
뭘 만들기에 이러케 냄새가 조아요?
mwol mandeulgie ireoke naemsaega joayo?

지우가 입맛이 없다길래 이것저것 만드는 중이에요.
지우가 임마시 업따길래 이걷쩌걷 만드는 중이에요.
jiuga immasi eopdagillae igeotjeogeot mandeuneun jungieyo.

< 설명(说明) / 번역(翻译) >

뭐+를 만들+기에 이렇+게 냄새+가 좋+아요?
뭘

• **뭐 (代词)** : 모르는 사실이나 사물을 가리키는 말.
什么
指代不知道的事实或事物。

• 를 (助词) : 동작이 직접적으로 영향을 미치는 대상을 나타내는 조사.
无对应词汇
表示动作直接涉及的对象。

• **만들다 (动词)** : 힘과 기술을 써서 없던 것을 생기게 하다.
制作，做，制造
使用气力或技术而使没有的东西生成。

• -기에 (语尾) : 뒤에 오는 말의 원인이나 근거를 나타내는 연결 어미.
无对应词汇
表示后句的原因或根据。

• **이렇다 (形容词)** : 상태, 모양, 성질 등이 이와 같다.
这样
表示状态、样子、性质等与此相同。

• -게 (语尾) : 앞의 말이 뒤에서 가리키는 일의 목적이나 결과, 방식, 정도 등이 됨을 나타내는 연결 어미.
无对应词汇
表示前面的内容为后面所指事情的目的、结果、方式或程度等。

• **냄새 (名词)** : 코로 맡을 수 있는 기운.
气味，味道，香味，臭味
能用鼻子闻到的味儿。

• 가 (助词) : 어떤 상태나 상황에 놓인 대상이나 동작의 주체를 나타내는 조사.
无对应词汇
表示行为的主体或状态描述的对象。

• **좋다 (形容词)** : 어떤 일이나 대상이 마음에 들고 만족스럽다.
喜爱，喜欢
某事或某个对象很称心、很满意。

• -아요 (语尾) : (두루높임으로) 어떤 사실을 서술하거나 질문, 명령, 권유함을 나타내는 종결 어미.
无对应词汇
(普尊) 表示叙述某个事实，或提问、命令、劝说。**<提问>**

지우+가 입맛+이 없+다길래 이것저것 만들(만드)+[는 중이]+에요.
만드는 중이에요

• **지우 (名词)** : 人名

• 가 (助词) : 어떤 상태나 상황에 놓인 대상이나 동작의 주체를 나타내는 조사.
无对应词汇
表示行为的主体或状态描述的对象。

• **입맛 (名词)** : 음식을 먹을 때 입에서 느끼는 맛. 또는 음식을 먹고 싶은 욕구.
口味，胃口，食欲
吃食物使嘴里感受到的味道，或指想吃食物的欲望。

• 이 (助词) : 어떤 상태나 상황의 대상이나 동작의 주체를 나타내는 조사.
无对应词汇
表示行为的主体或状态描述的对象。

• **없다 (形容词)** : 어떤 사실이나 현상이 현실로 존재하지 않는 상태이다.
没有
某个事实或现象在现实里不存在。

• -다길래 (表达) : 뒤 내용의 이유나 근거로 다른 사람에게 들은 사실을 말할 때 쓰는 표현.
无对应词汇
转述他人所说的话，以此作为后句的理由或依据。

- **이것저것 (名词)** : 분명하게 정해지지 않은 여러 가지 사물이나 일.
  这那，这个那个
  没有明确确定的各种事物或事情。

- **만들다 (动词)** : 힘과 기술을 써서 없던 것을 생기게 하다.
  制作，做，制造
  使用气力或技术而使没有的东西生成。

- -는 중이다 (表达) : 어떤 일이 진행되고 있음을 나타내는 표현.
  无对应词汇
  表示某个事情在进行中。

- -에요 (语尾) : (두루높임으로) 어떤 사실을 서술하거나 질문함을 나타내는 종결 어미.
  无对应词汇
  (普尊) 表示叙述或询问某个事实 **<叙述>**

< 대화(聊天) > - 60

설명서를 아무리 봐도 무슨 말인지 잘 모르겠죠?
설명서를 아무리 봐도 무슨 마린지 잘 모르겐쬬?
seolmyeongseoreul amuri bwado museun marinji jal moreugetjyo?

그래도 자꾸 읽다 보니 조금씩 이해가 되던걸요.
그래도 자꾸 익따 보니 조금씩 이해가 되던거료.
geuraedo jakku ikda boni jogeumssik ihaega doedeongeoryo.

< 설명(说明) / 번역(翻译) >

설명서+를 아무리 보+아도 무슨 말+이+ㄴ지 잘 모르+겠+죠?
봐도 말인지

• **설명서 (名词)** : 일이나 사물의 내용, 이유, 사용법 등을 설명한 글.
说明书
说明事情或事物的内容、原因、使用方法等的文章。

• 를 (助词) : 동작이 직접적으로 영향을 미치는 대상을 나타내는 조사.
无对应词汇
表示动作直接涉及的对象。

• **아무리 (副词)** : 비록 그렇다 하더라도.
多么
虽然如此也。

• **보다 (动词)** : 책이나 신문, 지도 등의 글자나 그림, 기호 등을 읽고 내용을 이해하다.
阅读，看
读书籍、报纸、地图中的字、图、符号等而理解内容。

• -아도 (语尾) : 앞에 오는 말을 가정하거나 인정하지만 뒤에 오는 말에는 관계가 없거나 영향을 끼치지 않음을 나타내는 연결 어미.
无对应词汇
表示虽然假设或承认前句某种状况，但和后句内容没有关系或不会对此造成影响。

• **무슨 (冠形词)** : 확실하지 않거나 잘 모르는 일, 대상, 물건 등을 물을 때 쓰는 말.
什么
用于询问不确定或不知道的事情、对象、东西等。

• **말 (名词)** : 단어나 구나 문장.
词语，词汇
指单词、句子或文章。

• 이다 (助词) : 주어가 지시하는 대상의 속성이나 부류를 지정하는 뜻을 나타내는 서술격 조사.
无对应词汇
表示指定主语所指示的属性或类型。

• -ㄴ지 (语尾) : 뒤에 오는 말의 내용에 대한 막연한 이유나 판단을 나타내는 연결 어미.
无对应词汇
表示后句的原因或判断，带有不肯定的语气。

• **잘 (副词)** : 분명하고 정확하게.
清楚地，仔细地
分明而准确地。

• **모르다 (动词)** : 사람이나 사물, 사실 등을 알지 못하거나 이해하지 못하다.
不知道，不认识，不懂
不清楚或不了解人或事物、事实等。

• -겠- (语尾) : 미래의 일이나 추측을 나타내는 어미.
无对应词汇
表示将来或推测。

• -죠 (语尾) : (두루높임으로) 말하는 사람이 듣는 사람에게 친근함을 나타내며 물을 때 쓰는 종결 어미.
无对应词汇
(普尊) 表示说话人亲切询问听话人。

그렇+어도 자꾸 읽+[다(가) 보]+니 조금씩 이해+가 되+던걸요.
그래도 읽다 보니

• **그렇다 (形容词)** : 상태, 모양, 성질 등이 그와 같다.
那样
表示状态、样子、性质等与此相同。

• -어도 (语尾) : 앞에 오는 말을 가정하거나 인정하지만 뒤에 오는 말에는 관계가 없거나 영향을 끼치지 않음을 나타내는 연결 어미.
无对应词汇
表示虽然假设或承认前句某种状况，但和后句内容没有关系或不会对此造成影响。

• **자꾸 (副词)** : 여러 번 계속하여.
一直，总是
多次连续地。

• **읽다 (动词)** : 글을 보고 뜻을 알다.
阅读
看文字了解其意思。

• -다가 보다 (表达) : 앞에 오는 말이 나타내는 행동을 하는 과정에서 뒤에 오는 말이 나타내는 사실을 새로 깨닫게 됨을 나타내는 표현.
无对应词汇
表示在做前面行动的过程中，新发现后面的事实。

• -니 (语尾) : 뒤에 오는 말에 대하여 앞에 오는 말이 원인이나 근거, 전제가 됨을 나타내는 연결 어미.
无对应词汇
表示前句是后句的原因、依据或前提。

• **조금씩 (副词)** : 적은 정도로 계속해서.
渐渐，一点一滴地
以极少的程度一直。

• **이해 (名词)** : 무엇이 어떤 것인지를 앎. 또는 무엇이 어떤 것이라고 받아들임.
理解
知道某物是什么；或指接受某物是什么。

• 가 (助词) : 어떤 상태나 상황에 놓인 대상이나 동작의 주체를 나타내는 조사.
无对应词汇
表示行为的主体或状态描述的对象。

• **되다 (动词)** : 어떠한 심리적인 상태에 있다.
感到
处于某种心理状态。

• -던걸요 (表达) : (두루높임으로) 과거의 사실에 대한 자기 생각이나 주장을 설명하듯 말하거나 그 근거를 댈 때 쓰는 표현.
无对应词汇
(普尊) 表示对于过去的事实说明自己的想法、主张或提供其根据。

< 대화(聊天) > - 61

저는 이번에 개봉한 영화가 재미있던데요.
저는 이버네 개봉한 영화가 재미읻떤데요.
jeoneun ibeone gaebonghan yeonghwaga jaemiitdeondeyo.

그래도 원작이 더 재미있지 않나요?
그래도 원자기 더 재미읻찌 안나요?
geuraedo wonjagi deo jaemiitji annayo?

< 설명(说明) / 번역(翻译) >

저+는 이번+에 개봉하+ㄴ 영화+가 재미있+던데요.

개봉한

• **저 (代词)** : 말하는 사람이 듣는 사람에게 자신을 낮추어 가리키는 말.
我
说话人在听话人面前对自己的谦称。

• 는 (助词) : 문장 속에서 어떤 대상이 화제임을 나타내는 조사.
无对应词汇
表示文中某个对象成为话题。

• **이번 (名词)** : 곧 돌아올 차례. 또는 막 지나간 차례.
这次，这回
马上到来的顺序；或指刚过去的顺序。

• 에 (助词) : 앞말이 시간이나 때임을 나타내는 조사.
无对应词汇
表示时间或时候。

• **개봉하다 (动词)** : 새 영화를 처음으로 상영하다.
首映，公映
第一次上映新电影。

• -ㄴ (语尾) : 앞의 말이 관형어의 기능을 하게 만들고 사건이나 동작이 완료되어 그 상태가 유지되고 있음을 나타내는 어미.
无对应词汇
使前面的词具有定语功能，表示事件或动作完成后其状态一直持续。

• **영화 (名词)** : 일정한 의미를 갖고 움직이는 대상을 촬영하여 영사기로 영사막에 비추어서 보게 하는 종합 예술.
电影
含有一定的意义，拍摄移动的对象，用放映机投影到银幕上看的综合性艺术。

• 가 (助词) : 어떤 상태나 상황에 놓인 대상이나 동작의 주체를 나타내는 조사.
无对应词汇
表示行为的主体或状态描述的对象。

• **재미있다 (形容词)** : 즐겁고 유쾌한 느낌이 있다.
有趣，有意思
有欢欣愉悦的感觉。

• -던데요 (表达) : (두루높임으로) 과거에 직접 경험한 사실을 전달하여 듣는 사람의 반응을 기대함을 나타내는 표현.
无对应词汇
(普尊) 表示转达过去亲身经历的事实，来期待着听话人的反应。

그렇+어도 원작+이 더 재미있+[지 않]+나요?
그래도

• **그렇다 (形容词)** : 상태, 모양, 성질 등이 그와 같다.
那样
表示状态、样子、性质等与此相同。

• -어도 (语尾) : 앞에 오는 말을 가정하거나 인정하지만 뒤에 오는 말에는 관계가 없거나 영향을 끼치지 않음을 나타내는 연결 어미.
无对应词汇
表示虽然假设或承认前句某种状况，但和后句内容没有关系或不会对此造成影响。

• **원작 (名词)** : 연극이나 영화의 대본으로 만들거나 다른 나라 말로 고치기 전의 원래 작품.
原作
创作成话剧或电影的剧本，或翻译成他国语言之前的原来的作品。

• 이 (助词) : 어떤 상태나 상황의 대상이나 동작의 주체를 나타내는 조사.
无对应词汇
表示行为的主体或状态描述的对象。

• **더 (副词)** : 비교의 대상이나 어떤 기준보다 정도가 크게, 그 이상으로.
更，更加
与比较对象或某个标准相比，程度加深；在那之上。

• **재미있다 (形容词)** : 즐겁고 유쾌한 느낌이 있다.
有趣，有意思
有欢欣愉悦的感觉。

• -지 않다 (表达) : 앞의 말이 나타내는 행위나 상태를 부정하는 뜻을 나타내는 표현.
无对应词汇
表示否定前面所指的行为或状态。

• -나요 (表达) : (두루높임으로) 앞의 내용에 대해 상대방에게 물어볼 때 쓰는 표현.
无对应词汇
(普尊) 表示向对方询问前面所指的内容。

< 대화(聊天) > - 62

이 집 강아지가 밤마다 너무 짖어서 저희가 잠을 잘 못 자요.
이 집 강아지가 밤마다 너무 지저서 저히가 자믈 잘 몯 자요.
i jip gangajiga bammada neomu jijeoseo jeohiga jameul jal mot jayo.

정말 죄송합니다. 못 짖도록 하는데도 그게 쉽지가 않네요.
정말 죄송함니다. 몯 짇또록 하는데도 그게 쉽찌가 안네요.
jeongmal joesonghamnida. mot jitdorok haneundedo geuge swipjiga anneyo.

< 설명(说明) / 번역(翻译) >

이 집 강아지+가 밤+마다 너무 짖+어서 저희+가 잠+을 잘 못 자+(아)요.
자요

• **이 (冠形词)** : 말하는 사람에게 가까이 있거나 말하는 사람이 생각하고 있는 대상을 가리킬 때 쓰는 말.
这，这个
用于指示与话者离得近的物品，或用于指示话者所想的对象。

• **집 (名词)** : 사람이나 동물이 추위나 더위 등을 막고 그 속에 들어 살기 위해 지은 건물.
房子，窝，巢
人或动物为了遮寒挡暑等，进里面生活而盖的建筑物。

• **강아지 (名词)** : 개의 새끼.
小狗，狗崽
狗的崽子。

• 가 (助词) : 어떤 상태나 상황에 놓인 대상이나 동작의 주체를 나타내는 조사.
无对应词汇
表示行为的主体或状态描述的对象。

• **밤 (名词)** : 해가 진 후부터 다음 날 해가 뜨기 전까지의 어두운 동안.
夜，夜间
日落到第二天日出前的黑暗时段。

• 마다 (助词) : 하나하나 빠짐없이 모두의 뜻을 나타내는 조사.
每，各
表示一个不漏地全部都。

• **너무 (副词)** : 일정한 정도나 한계를 훨씬 넘어선 상태로.
太
已超过一定的程度或限度的状态。

• **짖다 (动词)** : 개가 크게 소리를 내다.
吠
狗大声叫。

• -어서 (语尾) : 이유나 근거를 나타내는 연결 어미.
无对应词汇
表示理由或根据。

• **저희 (代词)** : 말하는 사람이 자기보다 높은 사람에게 자기를 포함한 여러 사람들을 가리키는 말.
我们
说话人指代自己在内的一些人。

• 가 (助词) : 어떤 상태나 상황에 놓인 대상이나 동작의 주체를 나타내는 조사.
无对应词汇
表示行为的主体或状态描述的对象。

• **잠 (名词)** : 눈을 감고 몸과 정신의 활동을 멈추고 한동안 쉬는 상태.
觉，睡眠
指闭上眼睛，停止身体、精神活动而休息一会儿的状态。

• 을 (助词) : 서술어의 명사형 목적어임을 나타내는 조사.
无对应词汇
表示名词形谓词作宾语。

• **잘 (副词)** : 충분히 만족스럽게.
满足地，满意地
足以感到满意地。

• **못 (副词)** : 동사가 나타내는 동작을 할 수 없게.
无对应词汇
不会做动词所指的动作。

• **자다 (动词)** : 눈을 감고 몸과 정신의 활동을 멈추고 한동안 쉬는 상태가 되다.
睡，睡觉
闭眼睛，停止身体、精神活动，一时进入休息状态。

• -아요 (语尾) : (두루높임으로) 어떤 사실을 서술하거나 질문, 명령, 권유함을 나타내는 종결 어미.
无对应词汇
(普尊) 表示叙述某个事实，或提问、命令、劝说。**<叙述>**

정말 <u>죄송하+ㅂ니다</u>.
죄송합니다

못 짖+[도록 하]+는데도 <u>그것(그거)+이</u> 쉽+[지+가 않]+네요.
그게

- **정말 (副词)** : 거짓이 없이 진짜로.
  真的
  没有虚假而真正地。

- **죄송하다 (形容词)** : 죄를 지은 것처럼 몹시 미안하다.
  抱歉，愧疚
  好像犯了错一样感觉十分过意不去。

- -ㅂ니다 (语尾) : (아주높임으로) 현재의 동작이나 상태, 사실을 정중하게 설명함을 나타내는 종결 어미.
  无对应词汇
  (高尊) 表示以郑重的语气说明现在的动作、状态或事实。

- **못 (副词)** : 동사가 나타내는 동작을 할 수 없게.
  无对应词汇
  不会做动词所指的动作。

- **짖다 (动词)** : 개가 크게 소리를 내다.
  吠
  狗大声叫。

- -도록 하다 (表达) : 남에게 어떤 행동을 하도록 시키거나 물건이 어떤 작동을 하게 만듦을 나타내는 표현.
  无对应词汇
  表示让人做某事，或使某物起动。

- -는데도 (表达) : 앞에 오는 말이 나타내는 상황에 상관없이 뒤에 오는 말이 나타내는 상황이 일어남을 나타내는 표현.
  无对应词汇
  表示与前面表达的状况无关发生后面的状况。

- **그것 (代词)** : 앞에서 이미 이야기한 대상을 가리키는 말.
  那个
  指代前面已提到过的对象。

• 이 (助词) : 어떤 상태나 상황의 대상이나 동작의 주체를 나타내는 조사.
无对应词汇
表示行为的主体或状态描述的对象。

• **쉽다 (形容词)** : 하기에 힘들거나 어렵지 않다.
容易，简单
做起来不累或不难。

• -지 않다 (表达) : 앞의 말이 나타내는 행위나 상태를 부정하는 뜻을 나타내는 표현.
无对应词汇
表示否定前面所指的行为或状态。

• 가 (助词) : 앞의 말을 강조하는 뜻을 나타내는 조사.
无对应词汇
表示强调。

• -네요 (表达) : (두루높임으로) 말하는 사람이 직접 경험하여 새롭게 알게 된 사실에 대해 감탄함을 나타낼 때 쓰는 표현.
无对应词汇
(普尊) 表示说话人感叹亲身经历所得知的新事实。

< 대화(聊天) > - 63

메일 보냈습니다. 확인 좀 부탁 드립니다.
메일 보낻씀니다. 화긴 좀 부탁 드림니다.
meil bonaetseumnida. hwagin jom butak deurimnida.

네. 보내 주신 자료를 검토하고 다시 연락 드리도록 하겠습니다.
네. 보내 주신 자료를 검토하고 다시 열락 드리도록 하겓씀니다.
ne. bonae jusin jaryoreul geomtohago dasi yeollak deuridorok hagetseumnida.

< 설명(说明) / 번역(翻译) >

메일 보내+었+습니다.
보냈습니다

확인 좀 부탁 드리+ㅂ니다.
드립니다

• **메일 (名词)** : 인터넷이나 통신망으로 주고받는 편지.
电邮，电子邮件，电子函件
通过互联网或通信网收发的信件。

• **보내다 (动词)** : 내용이 전달되게 하다.
发送
使内容被传达。

• -었- (语尾) : 어떤 사건이 과거에 완료되었거나 그 사건의 결과가 현재까지 지속되는 상황을 나타내는 어미.
无对应词汇
表示某一事件已结束或其结果保持到现在。

• -습니다 (语尾) : (아주높임으로) 현재의 동작이나 상태, 사실을 정중하게 설명함을 나타내는 종결 어미.
无对应词汇
(高尊) 表示以郑重的语气说明现在的动作、状态或事实。

• **확인 (名词)** : 틀림없이 그러한지를 알아보거나 인정함.
确认
打听或认定是否确实是那样。

• **좀 (副词)** : 주로 부탁이나 동의를 구할 때 부드러운 느낌을 주기 위해 넣는 말.
一下
主要用于委婉请求或征得同意。

• **부탁 (名词)** : 어떤 일을 해 달라고 하거나 맡김.
拜托，请求，托付
请他人做某事或将某事委托给他人。

• **드리다 (动词)** : 윗사람에게 어떤 말을 하거나 인사를 하다.
致，道
向上级或年长者说话或打招呼。

• -ㅂ니다 (语尾) : (아주높임으로) 현재의 동작이나 상태, 사실을 정중하게 설명함을 나타내는 종결 어미.
无对应词汇
(高尊) 表示以郑重的语气说明现在的动作、状态或事实。

네.

보내+[(어) 주]+시+ㄴ 자료+를 검토하+고 다시 연락 드리+[도록 하]+겠+습니다.
보내 주신

• **네 (叹词)** : 윗사람의 물음이나 명령 등에 긍정하여 대답할 때 쓰는 말.
是，行
用于肯定回答长辈所提出的问题或命令等。

• **보내다 (动词)** : 내용이 전달되게 하다.
发送
使内容被传达。

• -어 주다 (表达) : 남을 위해 앞의 말이 나타내는 행동을 함을 나타내는 표현.
给
表示为别人做前面表达的行动。

• -시- (语尾) : 어떤 동작이나 상태의 주체를 높이는 뜻을 나타내는 어미.
无对应词汇
表示对某个动作或状态主体的尊敬。

• -ㄴ (语尾) : 앞의 말이 관형어의 기능을 하게 만들고 사건이나 동작이 완료되어 그 상태가 유지되고 있음을 나타내는 어미.
无对应词汇
使前面的词具有定语功能，表示事件或动作完成后其状态一直持续。

• **자료 (名词)** : 연구나 조사를 하는 데 기본이 되는 재료.
资料
做研究或调查最基本的材料。

• 를 (助词) : 동작이 직접적으로 영향을 미치는 대상을 나타내는 조사.
无对应词汇
表示动作直接涉及的对象。

• **검토하다 (动词)** : 어떤 사실이나 내용을 자세히 따져서 조사하고 분석하다.
检讨，研究，研讨
对某个事实或内容进行仔细推敲调查和分析。

• -고 (语尾) : 앞의 말과 뒤의 말이 차례대로 일어남을 나타내는 연결 어미.
无对应词汇
表示前后两件事依次发生。

• **다시 (副词)** : 다음에 또.
再次，再一次
下一次再。

• **연락 (名词)** : 어떤 사실을 전하여 알림.
联络，联系
传达告知某个事实。

• **드리다 (动词)** : 윗사람에게 어떤 말을 하거나 인사를 하다.
致，道
向上级或年长者说话或打招呼。

• -도록 하다 (表达) : 말하는 사람이 어떤 행위를 할 것이라는 의지나 다짐을 나타내는 표현.
无对应词汇
表示说话人要做某种行为的意志或决心。

• -겠- (语尾) : 완곡하게 말하는 태도를 나타내는 어미.
无对应词汇
表示婉转的态度。

• -습니다 (语尾) : (아주높임으로) 현재의 동작이나 상태, 사실을 정중하게 설명함을 나타내는 종결 어미.
无对应词汇
(高尊) 表示以郑重的语气说明现在的动作、状态或事实。

< 대화(聊天) > - 64

이제 아홉 신데 벌써 자려고?
이제 아홉 신데 벌써 자려고?
ije ahop sinde beolsseo jaryeogo?

시험 기간에 도서관 자리 잡기가 어려워서 내일 일찍 일어나려고요.
시험 기가네 도서관 자리 잡끼가 어려워서 내일 일찍 이러나려고요.
siheom gigane doseogwan jari japgiga eoryeowoseo naeil iljjik ireonaryeogoyo.

< 설명(说明) / 번역(翻译) >

이제 아홉 시+(이)+ㄴ데 벌써 자+려고?
신데

• **이제 (副词)** : 말하고 있는 바로 이때에.
现在
说话的当时。

• **아홉 (冠形词)** : 여덟에 하나를 더한 수의.
九
8加1得到的数的。

• **시 (名词)** : 하루를 스물넷으로 나누었을 때 그 하나를 나타내는 시간의 단위.
点，点钟
计时单位，表示一天二十四小时中的某一个。

• 이다 (助词) : 주어가 지시하는 대상의 속성이나 부류를 지정하는 뜻을 나타내는 서술격 조사.
无对应词汇
表示指定主语所指示的属性或类型。

• -ㄴ데 (语尾) : 뒤의 말을 하기 위하여 그 대상과 관련이 있는 상황을 미리 말함을 나타내는 연결 어미.
无对应词汇
表示为了说后面的话而先说与其相关的状况。

• **벌써 (副词)** : 생각보다 빠르게.
已经
比想象早地。

• **자다 (动词)** : 눈을 감고 몸과 정신의 활동을 멈추고 한동안 쉬는 상태가 되다.
睡，睡觉
闭眼睛，停止身体、精神活动，一时进入休息状态。

• -려고 (语尾) : (두루낮춤으로) 어떤 주어진 상황에 대하여 의심이나 반문을 나타내는 종결 어미.
无对应词汇
(普卑) 表示将既定状况怀疑或提出反问。

시험 기간+에 도서관 자리 잡+기+가 어렵(어려우)+어서
어려워서

내일 일찍 일어나+려고요.

• **시험 (名词)** : 문제, 질문, 실제의 행동 등의 일정한 절차에 따라 지식이나 능력을 검사하고 평가하는 일.
考试
按照问题、提问、实际行动等一定程序考核考生的知识或能力的事宜。

• **기간 (名词)** : 어느 일정한 때부터 다른 일정한 때까지의 동안.
期间
从某一个特定时候到另一个特定时候之间的时间。

• 에 (助词) : 앞말이 시간이나 때임을 나타내는 조사.
无对应词汇
表示时间或时候。

• **도서관 (名词)** : 책과 자료 등을 많이 모아 두고 사람들이 빌려 읽거나 공부를 할 수 있게 마련한 시설.
图书馆
收藏大量书籍和资料等，以供人们借阅或学习而建造的设施。

• **자리 (名词)** : 사람이 앉을 수 있도록 만들어 놓은 곳.
座位，席位
供人坐的地方。

• **잡다 (动词)** : 자리, 방향, 시기 등을 정하다.
确定
决定地点、方向、时期等。

• -기 (语尾) : 앞의 말이 명사의 기능을 하게 하는 어미.
无对应词汇
使前面的词语具有名词功能。

• 가 (助词) : 어떤 상태나 상황에 놓인 대상이나 동작의 주체를 나타내는 조사.
无对应词汇
表示行为的主体或状态描述的对象。

• **어렵다 (形容词)** : 하기가 복잡하거나 힘이 들다.
难，不容易
做起来复杂或费力。

• -어서 (语尾) : 이유나 근거를 나타내는 연결 어미.
无对应词汇
表示理由或根据。

• **내일 (副词)** : 오늘의 다음 날에.
明天
今天的第二天。

• **일찍 (副词)** : 정해진 시간보다 빠르게.
早早儿
比指定时间早地。

• **일어나다 (动词)** : 잠에서 깨어나다.
起，起床，起来
从睡眠中醒来。

• -려고요 (表达) : (두루높임으로) 어떤 행동을 할 의도나 욕망을 가지고 있음을 나타내는 표현.
无对应词汇
(普尊) 表示有要做某个行动的意图或欲望。

< 대화(聊天) > - 65

나 지금 마트에 가려고 하는데 혹시 필요한 거 있니?
나 지금 마트에 가려고 하는데 혹씨 피료한 거 인니?
na jigeum mateue garyeogo haneunde hoksi piryohan geo inni?

그럼 오는 길에 휴지 좀 사다 줄래?
그럼 오는 기레 휴지 좀 사다 줄래?
geureom oneun gire hyuji jom sada jullae?

< 설명(说明) / 번역(翻译) >

나 지금 마트+에 가+[려고 하]+는데 혹시 필요하+[ㄴ 것(거)] 있+니?

필요한 거

- **나 (代词)** : 말하는 사람이 친구나 아랫사람에게 자기를 가리키는 말.
  我
  说话人在朋友或晚辈面前用来指称自己。

- **지금 (副词)** : 말을 하고 있는 바로 이때에. 또는 그 즉시에.
  现在，这会儿
  在说话的当时；或此时此刻。

- **마트 (名词)** : 각종 생활용품을 판매하는 대형 매장.
  大超市
  销售各种生活用品的大型商场。

- 에 (助词) : 앞말이 목적지이거나 어떤 행위의 진행 방향임을 나타내는 조사.
  无对应词汇
  表示目的地或某行为进行的方向。

- **가다 (动词)** : 한 곳에서 다른 곳으로 장소를 이동하다.
  去
  从一个地方移动到另一个地方。

- -려고 하다 (表达) : 앞의 말이 나타내는 행동을 할 의도나 의향이 있음을 나타내는 표현.
  无对应词汇
  表示有要做前面所指行动的意图或意向。

• -는데 (语尾) : 뒤의 말을 하기 위하여 그 대상과 관련이 있는 상황을 미리 말함을 나타내는 연결 어미.
无对应词汇
表示为了说后面的话而先说与其相关的状况。

• **혹시 (副词)** : 그러리라 생각하지만 분명하지 않아 말하기를 망설일 때 쓰는 말.
是不是，是否
用于对不确定的事情提出疑问，表示虽认为如此，但因不确定而犹豫要不要说。

• **필요하다 (形容词)** : 꼭 있어야 하다.
必需，必要
一定要有的。

• -ㄴ 것 (表达) : 명사가 아닌 것을 문장에서 명사처럼 쓰이게 하거나 '이다' 앞에 쓰일 수 있게 할 때 쓰는 표현.
无对应词汇
用于使非名词的词性在句中用作名词或使其可出现在"이다"前面。

• **있다 (形容词)** : 사람, 동물, 물체 등이 존재하는 상태이다.
有
人或动物、物体等存在的状态。

• -니 (语尾) : (아주낮춤으로) 물음을 나타내는 종결 어미.
无对应词汇
(高卑) 表示询问。

그럼 오+[는 길에] 휴지 좀 사+(아)다 주+ㄹ래?

사다 줄래

• **그럼 (副词)** : 앞의 내용을 받아들이거나 그 내용을 바탕으로 하여 새로운 주장을 할 때 쓰는 말.
那么，既然那样
用于表示接受前文内容，或以前文为基础，提出新的主张。

• **오다 (动词)** : 무엇이 다른 곳에서 이곳으로 움직이다.
来，来到
从别的地方移动到这个地方。

• -는 길에 (表达) : 어떤 일을 하는 도중이나 기회임을 나타내는 표현.
趁
在做某事的途中或机会。

• **휴지 (名词)** : 더러운 것을 닦는 데 쓰는 얇은 종이.
卫生纸，手纸
用来擦脏东西的薄纸。

• **좀 (副词)** : 주로 부탁이나 동의를 구할 때 부드러운 느낌을 주기 위해 넣는 말.
一下
主要用于委婉请求或征得同意。

• **사다 (动词)** : 돈을 주고 어떤 물건이나 권리 등을 자기 것으로 만들다.
买，购买
用钱使某种东西或权利为己所有。

• -아다 (语尾) : 어떤 행동을 한 뒤 그 행동의 결과를 가지고 뒤의 말이 나타내는 행동을 이어 함을 나타내는 연결 어미.
无对应词汇
表示做完某个动作后，以其结果接着做后面的动作。

• **주다 (动词)** : 물건 등을 남에게 건네어 가지거나 쓰게 하다.
给予，给
把东西等递给别人，让别人拥有或使用。

• -ㄹ래 (语尾) : (두루낮춤으로) 앞으로 어떤 일을 하려고 하는 자신의 의사를 나타내거나 그 일에 대하여 듣는 사람의 의사를 물어봄을 나타내는 종결 어미.
无对应词汇
(普卑) 用来表明自己将要做某事的想法或询问听话人对某事的想法。

< 대화(聊天) > - 66

오늘 회의 몇 시부터 시작하지?
오늘 회이 멷 시부터 시자카지?
oneul hoei myeot sibuteo sijakaji?

지금 시작하려고 하니까 빨리 준비하고 와.
지금 시자카려고 하니까 빨리 준비하고 와.
jigeum sijakaryeogo hanikka ppalli junbihago wa.

< 설명(说明) / 번역(翻译) >

오늘 회의 몇 시+부터 시작하+지?

• **오늘 (名词)** : 지금 지나가고 있는 이날.
  今天，今日
  现在正在度过的这一天。

• **회의 (名词)** : 여럿이 모여 의논함. 또는 그런 모임.
  会，会议
  许多人聚在一起讨论；或指这种聚会。

• **몇 (冠形词)** : 잘 모르는 수를 물을 때 쓰는 말.
  几，多少
  用于询问不知道的数目。

• **시 (名词)** : 하루를 스물넷으로 나누었을 때 그 하나를 나타내는 시간의 단위.
  点，点钟
  计时单位，表示一天二十四小时中的某一个。

• 부터 (助词) : 어떤 일의 시작이나 처음을 나타내는 조사.
  从
  表示某事的开始或起始。

• **시작하다 (动词)** : 어떤 일이나 행동의 처음 단계를 이루거나 이루게 하다.
  开始
  完成某件事或行为的第一阶段。

• -지 (语尾) : (두루낮춤으로) 말하는 사람이 듣는 사람에게 친근함을 나타내며 물을 때 쓰는 종결 어미.
无对应词汇
(普卑) 表示说话人亲切询问听话人。

지금 시작하+[려고 하]+니까 빨리 준비하+고 오+아.
와

• **지금 (副词)** : 말을 하고 있는 바로 이때에. 또는 그 즉시에.
现在，这会儿
在说话的当时；或此时此刻。

• **시작하다 (动词)** : 어떤 일이나 행동의 처음 단계를 이루거나 이루게 하다.
开始
完成某件事或行为的第一阶段。

• -려고 하다 (表达) : 앞의 말이 나타내는 일이 곧 일어날 것 같거나 시작될 것임을 나타내는 표현.
无对应词汇
表示前面所指的事情好像即将要发生或快要开始。

• -니까 (语尾) : 뒤에 오는 말에 대하여 앞에 오는 말이 원인이나 근거, 전제가 됨을 강조하여 나타내는 연결 어미.
无对应词汇
表示强调前句为后句的原因、依据或前提。

• **빨리 (副词)** : 걸리는 시간이 짧게.
快，赶快
花费的时间不长地。

• **준비하다 (动词)** : 미리 마련하여 갖추다.
准备
事先筹备。

• -고 (语尾) : 앞의 말과 뒤의 말이 차례대로 일어남을 나타내는 연결 어미.
无对应词汇
表示前后两件事依次发生。

• **오다 (动词)** : 무엇이 다른 곳에서 이곳으로 움직이다.
来，来到
从别的地方移动到这个地方。

• -아 (语尾) : (두루낮춤으로) 어떤 사실을 서술하거나 물음, 명령, 권유를 나타내는 종결 어미.
无对应词汇
(普卑) 表示陈述、询问、命令或劝说某种事实。**<命令>**

< 대화(聊天) > - 67

장마도 끝났으니 이제 정말 더워지려나 봐.
장마도 끈나쓰니 이제 정말 더워지려나 봐.
jangmado kkeunnasseuni ije jeongmal deowojiryeona bwa.

맞아. 오늘 아침에 걸어오는데 땀이 줄줄 나더라.
마자. 오늘 아치메 거러오는데 따미 줄줄 나더라.
maja. oneul achime georeooneunde ttami juljul nadeora.

< 설명(说明) / 번역(翻译) >

장마+도 끝나+았+으니 이제 정말 더워지+[려나 보]+아.
끝났으니 더워지려나 봐

• **장마 (名词)** : 여름철에 여러 날 계속해서 비가 오는 현상이나 날씨. 또는 그 비.
梅雨
夏季连续多日下雨的现象或天气；或指那样的雨。

• 도 (助词) : 이미 있는 어떤 것에 다른 것을 더하거나 포함함을 나타내는 조사.
无对应词汇
表示添加或包括。

• **끝나다 (动词)** : 정해진 기간이 모두 지나가다.
结束，完
规定的时间全都过去。

• -았- (语尾) : 어떤 사건이 과거에 완료되었거나 그 사건의 결과가 현재까지 지속되는 상황을 나타내는 어미.
无对应词汇
表示某一事件已结束或其结果保持到现在。

• -으니 (语尾) : 뒤에 오는 말에 대하여 앞에 오는 말이 원인이나 근거, 전제가 됨을 나타내는 연결 어미.
无对应词汇
表示前句为后句的原因、依据或前提。

• **이제 (副词)** : 지금부터 앞으로.
今后
从今以后。

• **정말 (副词)** : 거짓이 없이 진짜로.
真的
没有虚假而真正地。

• **더워지다 (动词)** : 온도가 올라가다. 또는 그로 인해 더워나 뜨거움을 느끼다.
变热
温度上升；或指因此而感到热或烫。

• -려나 보다 (表达) : 앞의 말이 나타내는 일이 일어날 것이라고 추측함을 나타내는 표현.
无对应词汇
表示推测前面所指的事情将要发生。

• -아 (语尾) : (두루낮춤으로) 어떤 사실을 서술하거나 물음, 명령, 권유를 나타내는 종결 어미.
无对应词汇
(普卑) 表示陈述、询问、命令或劝说某种事实。**<叙述>**

맞+아.

오늘 아침+에 걸어오+는데 땀+이 줄줄 나+더라.

• **맞다 (动词)** : 그렇거나 옳다.
对
正是或没错。

• -아 (语尾) : (두루낮춤으로) 어떤 사실을 서술하거나 물음, 명령, 권유를 나타내는 종결 어미.
无对应词汇
(普卑) 表示陈述、询问、命令或劝说某种事实。**<叙述>**

• **오늘 (名词)** : 지금 지나가고 있는 이날.
今天，今日
现在正在度过的这一天。

• **아침 (名词)** : 날이 밝아올 때부터 해가 떠올라 하루의 일이 시작될 때쯤까지의 시간.
早上，早晨
从天渐渐变亮到太阳出来，一天的事情开始的时间。

• 에 (助词) : 앞말이 시간이나 때임을 나타내는 조사.
无对应词汇
表示时间或时候。

• **걸어오다 (动词)** : 목적지를 향하여 다리를 움직여서 이동하여 오다.
走来，走过来
朝着目的地迈开双腿移动过来。

• -는데 (语尾) : 뒤의 말을 하기 위하여 그 대상과 관련이 있는 상황을 미리 말함을 나타내는 연결 어미.
无对应词汇
表示为了说后面的话而先说与其相关的状况。

• **땀 (名词)** : 덥거나 몸이 아프거나 긴장을 했을 때 피부를 통해 나오는 짭짤한 맑은 액체.
汗
感到热、身体不舒服或紧张时通过皮肤分泌的咸津津的清澈液体。

• 이 (助词) : 어떤 상태나 상황의 대상이나 동작의 주체를 나타내는 조사.
无对应词汇
表示行为的主体或状态描述的对象。

• **줄줄 (副词)** : 굵은 물줄기 등이 계속 흐르는 소리. 또는 그 모양.
簌簌地
粗大的水柱一直流下的声音；或指其模样。

• **나다 (动词)** : 몸에서 땀, 피, 눈물 등이 흐르다.
流
身上流出汗、血、泪水等。

• -더라 (语尾) : (아주낮춤으로) 말하는 이가 직접 경험하여 새롭게 알게 된 사실을 지금 전달함을 나타내는 종결 어미.
无对应词汇
(高卑) 表示话者现在转达亲身经历所得知的新事实。

< 대화(聊天) > - 68

나는 아내를 위해서 대신 죽을 수도 있을 것 같아.
나는 아내를 위해서 대신 주글 쑤도 이쓸 껃 가타.
naneun anaereul wihaeseo daesin jugeul sudo isseul geot gata.

네가 아내를 정말 사랑하는구나.
네가 아내를 정말 사랑하는구나.
nega anaereul jeongmal saranghaneunguna.

< 설명(说明) / 번역(翻译) >

나+는 아내+[를 위해서] 대신 죽+[을 수+도 있]+[을 것 같]+아.

• **나 (代词)** : 말하는 사람이 친구나 아랫사람에게 자기를 가리키는 말.
我
说话人在朋友或晚辈面前用来指称自己。

• 는 (助词) : 문장 속에서 어떤 대상이 화제임을 나타내는 조사.
无对应词汇
表示文中某个对象成为话题。

• **아내 (名词)** : 결혼하여 남자의 짝이 된 여자.
妻子，爱人，老婆
结婚而成为男子的配偶的女人。

• 를 위해서 (表达) : 어떤 대상에게 이롭게 하거나 어떤 목표나 목적을 이루려고 함을 나타내는 표현.
为，为了
表示有利于某个对象，或要达成某目标或目的。

• **대신 (名词)** : 어떤 대상이 맡던 구실을 다른 대상이 새로 맡음. 또는 그렇게 새로 맡은 대상.
代，替，代替
由其他对象替代某对象承担的角色；或指承担角色的新对象。

• **죽다 (动词)** : 생물이 생명을 잃다.
死
生物失去生命。

• -을 수 있다 (表达) : 어떤 행동이나 상태가 가능함을 나타내는 표현.
无对应词汇
表示某种行为或状态有可能发生。

• 도 : 극단적인 경우를 들어 다른 경우는 말할 것도 없음을 나타내는 조사.
无对应词汇
助词。举出极端事例。

• -을 것 같다 (表达) : 추측을 나타내는 표현.
无对应词汇
表示推测。

• -아 (语尾) : (두루낮춤으로) 어떤 사실을 서술하거나 물음, 명령, 권유를 나타내는 종결 어미.
无对应词汇
(普卑) 表示陈述、询问、命令或劝说某种事实。**<叙述>**

네+가 아내+를 정말 사랑하+는구나.

• **네 (代词)** : '너'에 조사 '가'가 붙을 때의 형태.
你
"너(你)"后面加助词"가(表示动作主体)"时的形态。

• 가 (助词) : 어떤 상태나 상황에 놓인 대상이나 동작의 주체를 나타내는 조사.
无对应词汇
表示行为的主体或状态描述的对象。

• **아내 (名词)** : 결혼하여 남자의 짝이 된 여자.
妻子，爱人，老婆
结婚而成为男子的配偶的女人。

• 를 (助词) : 동작이 직접적으로 영향을 미치는 대상을 나타내는 조사.
无对应词汇
表示动作直接涉及的对象。

• **정말 (副词)** : 거짓이 없이 진짜로.
真的
没有虚假而真正地。

• **사랑하다 (动词)** : 상대에게 성적으로 매력을 느껴 열렬히 좋아하다.
爱
从对方身上感到异性的魅力并热烈地喜欢。

• -는구나 (语尾) : (아주낮춤으로) 새롭게 알게 된 사실에 어떤 느낌을 실어 말함을 나타내는 종결 어미.
无对应词汇
(高卑) 表示对刚知道的事实有感而发。

< 대화(聊天) > - 69

이 약은 하루에 몇 번이나 먹어야 하나요?
이 야근 하루에 멷 버니나 머거야 하나요?
i yageun harue myeot beonina meogeoya hanayo?

아침저녁으로 두 번만 드시면 됩니다.
아침저녀그로 두 번만 드시면 됨니다.
achimjeonyeogeuro du beonman deusimyeon doemnida.

< 설명(说明) / 번역(翻译) >

이 약+은 하루+에 몇 번+이나 먹+[어야 하]+나요?

• **이 (冠形词)** : 말하는 사람에게 가까이 있거나 말하는 사람이 생각하고 있는 대상을 가리킬 때 쓰는 말.
这，这个
用于指示与话者离得近的物品，或用于指示话者所想的对象。

• **약 (名词)** : 병이나 상처 등을 낫게 하거나 예방하기 위하여 먹거나 바르거나 주사하는 물질.
药
为了治疗、预防病患或伤口，服用、抹、注射的物质。

• 은 (助词) : 문장 속에서 어떤 대상이 화제임을 나타내는 조사.
无对应词汇
表示某个对象是句中的话题。

• **하루 (名词)** : 밤 열두 시부터 다음 날 밤 열두 시까지의 스물네 시간.
一天
从晚上12点到第二天晚上12点的24个小时。

• 에 (助词) : 앞말이 기준이 되는 대상이나 단위임을 나타내는 조사.
无对应词汇
表示作为标准的对象或单位。

• **몇 (冠形词)** : 잘 모르는 수를 물을 때 쓰는 말.
几，多少
用于询问不知道的数目。

• **번 (名词)** : 일의 횟수를 세는 단위.
次，遍
计算事情次数的数量单位。

• 이나 (助词) : 수량이나 정도를 대강 짐작할 때 쓰는 조사.
无对应词汇
用来大约估计数量或程度。

• **먹다 (动词)** : 약을 입에 넣어 삼키다.
服，吃
将药物放进口中并咽下。

• -어야 하다 (表达) : 앞에 오는 말이 어떤 일을 하거나 어떤 상황에 이르기 위한 의무적인 행동이거나 필수적인 조건임을 나타내는 표현.
无对应词汇
表示前面内容是为了做某事或达到某种情况而进行的强制性动作或必要条件。

• -나요 (表达) : (두루높임으로) 앞의 내용에 대해 상대방에게 물어볼 때 쓰는 표현.
无对应词汇
(普尊) 表示向对方询问前面所指的内容。

아침저녁+으로 두 번+만 들(드)+시+[면 되]+ㅂ니다.
드시면 됩니다

• **아침저녁 (名词)** : 아침과 저녁.
早晚，朝夕
早上和晚上。

• 으로 (助词) : 시간을 나타내는 조사.
无对应词汇
表示时间。

• **두 (冠形词)** : 둘의.
两
两个的。

• **번 (名词)** : 일의 횟수를 세는 단위.
次，遍
计算事情次数的数量单位。

• 만 (助词) : 다른 것은 제외하고 어느 것을 한정함을 나타내는 조사.
无对应词汇
表示排出其他，限定某一个。

- **들다 (动词)** : (높임말로) 먹다.
  进，用
  (尊称) 吃。

- -시- (语尾) : 어떤 동작이나 상태의 주체를 높이는 뜻을 나타내는 어미.
  无对应词汇
  表示对某个动作或状态主体的尊敬。

- -면 되다 (表达) : 조건이 되는 어떤 행동을 하거나 어떤 상태만 갖추어지면 문제가 없거나 충분함을 나타내는 표현.
  无对应词汇
  表示只要做满足条件的某个行动或具备满足条件的某个状态，就没有问题或足够。

- -ㅂ니다 (语尾) : (아주높임으로) 현재의 동작이나 상태, 사실을 정중하게 설명함을 나타내는 종결 어미.
  无对应词汇
  (高尊) 表示以郑重的语气说明现在的动作、状态或事实。

< 대화(聊天) > - 70

다음부터는 수업 시간에 떠들면 안 돼.
다음부터는 수업 시가네 떠들면 안 돼.
daeumbuteoneun sueop sigane tteodeulmyeon an dwae.

네, 선생님. 다음부터는 절대 떠들지 않을게요.
네, 선생님. 다음부터는 절대 떠들지 아늘께요.
ne, seonsaengnim. daeumbuteoneun jeoldae tteodeulji aneulgeyo.

< 설명(说明) / 번역(翻译) >

다음+부터+는 수업 시간+에 떠들+[면 안 되]+어.
떠들면 안 돼

• **다음 (名词)** : 이번 차례의 바로 뒤.
下面，下一个
这个次序的后一个。

• 부터 (助词) : 어떤 일의 시작이나 처음을 나타내는 조사.
从
表示某事的开始或起始。

• 는 (助词) : 어떤 대상이 다른 것과 대조됨을 나타내는 조사.
无对应词汇
表示某个对象与另一个形成对照。

• **수업 (名词)** : 교사가 학생에게 지식이나 기술을 가르쳐 줌.
授课，讲课
教师教学生知识或技术。

• **시간 (名词)** : 어떤 일이 시작되어 끝날 때까지의 동안.
时间
某件事从开始到结束的间隔期间。

• 에 (助词) : 앞말이 시간이나 때임을 나타내는 조사.
无对应词汇
表示时间或时候。

• **떠들다 (动词)** : 큰 소리로 시끄럽게 말하다.
喧闹
喧哗吵闹。

• -면 안 되다 (表达) : 어떤 행동이나 상태를 금지하거나 제한함을 나타내는 표현.
无对应词汇
表示禁止或限制某个行动或状态。

• -어 (语尾) : (두루낮춤으로) 어떤 사실을 서술하거나 물음, 명령, 권유를 나타내는 종결 어미.
无对应词汇
(普卑) 表示陈述某种事实、询问、命令或劝说。

네, 선생님.

다음+부터+는 절대 떠들+[지 않]+을게요.

• **네 (叹词)** : 윗사람의 물음이나 명령 등에 긍정하여 대답할 때 쓰는 말.
是，行
用于肯定回答长辈所提出的问题或命令等。

• **선생님 (名词)** : (높이는 말로) 학생을 가르치는 사람.
老师，教师
(敬语) 教授学生的人。

• **다음 (名词)** : 이번 차례의 바로 뒤.
下面，下一个
这个次序的后一个。

• 부터 (助词) : 어떤 일의 시작이나 처음을 나타내는 조사.
从
表示某事的开始或起始。

• 는 (助词) : 어떤 대상이 다른 것과 대조됨을 나타내는 조사.
无对应词汇
表示某个对象与另一个形成对照。

• **절대 (副词)** : 어떤 경우라도 반드시.
绝对，绝
不管在什么情况下都必须。

• **떠들다 (动词)** : 큰 소리로 시끄럽게 말하다.
喧闹
喧哗吵闹。

• -지 않다 (表达) : 앞의 말이 나타내는 행위나 상태를 부정하는 뜻을 나타내는 표현.
无对应词汇
表示否定前面所指的行为或状态。

• -을게요 (表达) : (두루높임으로) 말하는 사람이 어떤 행동을 할 것을 듣는 사람에게 약속하거나 의지를 나타내는 표현.
无对应词汇
(普卑) 说话人向听话人约定做某个行动或表达做某个行动的意志。

< 대화(聊天) > - 71

엄마, 할머니 댁은 아직 멀었어요?
엄마, 할머니 대근 아직 머러써요?
eomma, halmeoni daegeun ajik meoreosseoyo?

아냐. 다 와 가. 삼십 분만 더 가면 되니까 조금만 참아.
아냐. 다 와 가. 삼십 분만 더 가면 되니까 조금만 차마.
anya. da wa ga. samsip bunman deo gamyeon doenikka jogeumman chama.

< 설명(说明) / 번역(翻译) >

엄마, 할머니 댁+은 아직 멀+었+어요?

• **엄마 (名词)** : 격식을 갖추지 않아도 되는 상황에서 어머니를 이르거나 부르는 말.
妈妈
在非正式场合用于指称或称呼母亲。

• **할머니 (名词)** : 아버지의 어머니, 또는 어머니의 어머니를 이르거나 부르는 말.
奶奶，姥姥
用于指称或称呼父亲的母亲或母亲的母亲。

• **댁 (名词)** : (높이는 말로) 남의 집이나 가정.
府，贵府
(敬语) 别人的家或家庭。

• 은 (助词) : 문장 속에서 어떤 대상이 화제임을 나타내는 조사.
无对应词汇
表示某个对象是句中的话题。

• **아직 (副词)** : 어떤 일이나 상태 또는 어떻게 되기까지 시간이 더 지나야 함을 나타내거나, 어떤 일이나 상태가 끝나지 않고 계속 이어지고 있음을 나타내는 말.
尚未，还，仍然
表示某事或状态成为怎么样需要过一段时间， 或者某事或状态不结束继续不断。

• **멀다 (形容词)** : 지금으로부터 시간이 많이 남아 있다. 오랜 시간이 필요하다.
还早，还不到
到现在还剩较长一段时间；尚需很长时间。

• -었- (语尾) : 어떤 사건이 과거에 완료되었거나 그 사건의 결과가 현재까지 지속되는 상황을 나타내는 어미.
无对应词汇
表示某一事件已结束或其结果保持到现在。

• -어요 (语尾) : (두루높임으로) 어떤 사실을 서술하거나 질문, 명령, 권유함을 나타내는 종결 어미.
无对应词汇
(普尊) 表示叙述某个事实，或提问、命令、劝说。<提问>

아냐.

다 오+[아 가]+(아).
와 가

삼십 분+만 더 가+[면 되]+니까 조금+만 참+아.

• **아냐 (叹词)** : 묻는 말에 대하여 강조하며, 또는 단호하게 부정하며 대답할 때 쓰는 말.
不是，不对
用于强烈否定对方所提出的问题。

• **다 (副词)** : 행동이나 상태의 정도가 한정된 정도에 거의 가깝게.
快，就要
动作或状态的程度似乎接近限定程度地。

• **오다 (动词)** : 가고자 하는 곳에 이르다.
到，来到
到达想去的地方。

• -아 가다 (表达) : 앞의 말이 나타내는 행동이나 상태가 계속 진행됨을 나타내는 표현.
无对应词汇
表示前面所指的行动或状态持续进行。

• -아 (语尾) : (두루낮춤으로) 어떤 사실을 서술하거나 물음, 명령, 권유를 나타내는 종결 어미.
无对应词汇
(普卑) 表示陈述、询问、命令或劝说某种事实。<叙述>

• **삼십 (冠形词)** : 서른의.
三十
三十个的。

• **분 (名词)** : 한 시간의 60분의 1을 나타내는 시간의 단위.
分，分钟
计时单位，表示一个小时的六十分之一。

• 만 (助词) : 앞의 말이 어떤 것에 대한 조건임을 나타내는 조사.
无对应词汇
表示限制条件。

• **더 (副词)** : 보태어 계속해서.
再，多
添补而继续。

• **가다 (动词)** : 한 곳에서 다른 곳으로 장소를 이동하다.
去
从一个地方移动到另一个地方。

• -면 되다 (表达) : 조건이 되는 어떤 행동을 하거나 어떤 상태만 갖추어지면 문제가 없거나 충분함을 나타내는 표현.
无对应词汇
表示只要做满足条件的某个行动或具备满足条件的某个状态，就没有问题或足够。

• -니까 (语尾) : 뒤에 오는 말에 대하여 앞에 오는 말이 원인이나 근거, 전제가 됨을 강조하여 나타내는 연결 어미.
无对应词汇
表示强调前句为后句的原因、依据或前提。

• **조금 (名词)** : 짧은 시간 동안.
片刻，一会儿
短暂时间。

• 만 (助词) : 말하는 사람이 기대하는 최소의 선을 나타내는 조사.
无对应词汇
表示最起码的条件。

• **참다 (动词)** : 어떤 시간 동안을 견디고 기다리다.
忍耐，等待
在一定时间内坚持、等待。

• -아 (语尾) : (두루낮춤으로) 어떤 사실을 서술하거나 물음, 명령, 권유를 나타내는 종결 어미.
无对应词汇
(普卑) 表示陈述、询问、命令或劝说某种事实。**<命令>**

< 대화(聊天) > - 72

부산까지는 시간이 꽤 오래 걸리니까 번갈아 가면서 운전하는 게 어때?
부산까지는 시가니 꽤 오래 걸리니까 번가라 가면서 운전하는 게 어때?
busankkajineun sigani kkwae orae geollinikka beongara gamyeonseo unjeonhaneun ge eottae?

그래. 그게 좋겠다.
그래. 그게 조켇따.
geurae. geuge joketda.

< 설명(说明) / 번역(翻译) >

부산+까지+는 시간+이 꽤 오래 걸리+니까 번갈+[아 가]+면서

운전하+[는 것(거)]+이 어떻+어?
운전하는 게 어때

• **부산 (名词)** : 경상남도 동남부에 있는 광역시. 서울에 다음가는 대도시이며 한국 최대의 무역항이 있다.
釜山
位于庆尚南道东南部的广域市。韩国第二大城市，仅次于首尔，拥有韩国最大的贸易港。

• 까지 (助词) : 어떤 범위의 끝임을 나타내는 조사.
到
表示某种范围的终点。

• 는 (助词) : 문장 속에서 어떤 대상이 화제임을 나타내는 조사.
无对应词汇
表示文中某个对象成为话题。

• **시간 (名词)** : 어떤 때에서 다른 때까지의 동안.
时间
从某一时候到另一时候的期间。

• 이 (助词) : 어떤 상태나 상황의 대상이나 동작의 주체를 나타내는 조사.
无对应词汇
表示行为的主体或状态描述的对象。

• **꽤 (副词)** : 예상이나 기대 이상으로 상당히.
颇，相当，还
预期或期待以上，相当。

• **오래 (副词)** : 긴 시간 동안.
好久，很久
长时间。

• **걸리다 (动词)** : 시간이 들다.
花费，消耗
需要消磨时间。

• -니까 (语尾) : 뒤에 오는 말에 대하여 앞에 오는 말이 원인이나 근거, 전제가 됨을 강조하여 나타내는 연결 어미.
无对应词汇
表示强调前句为后句的原因、依据或前提。

• **번갈다 (动词)** : 여럿이 어떤 일을 할 때, 일정한 시간 동안 한 사람씩 차례를 바꾸다.
轮流
几个人一起做某事时在一定时间内一个一个换着做。

• -아 가다 (表达) : 앞의 말이 나타내는 행동을 이따금 반복함과 동시에 또 다른 행동을 이어 함을 나타내는 표현.
无对应词汇
表示偶尔反复做前面所指的行动，同时接着做另一行动。

• -면서 (语尾) : 두 가지 이상의 동작이나 상태가 함께 일어남을 나타내는 연결 어미.
无对应词汇
表示同时发生两个以上的动作或状态。

• **운전하다 (动词)** : 기계나 자동차를 움직이고 조종하다.
驾驶，操纵
使机器或汽车运转，并进行操作。

• -는 것(거) (表达) : 명사가 아닌 것을 문장에서 명사처럼 쓰이게 하거나 '이다' 앞에 쓰일 수 있게 할 때 쓰는 표현.
无对应词汇
用于使非名词在句中用作名词或使其可出现在"이다"前面。

• 이 (助词) : 어떤 상태나 상황의 대상이나 동작의 주체를 나타내는 조사.
无对应词汇
表示行为的主体或状态描述的对象。

• **어떻다 (形容词)** : 생각, 느낌, 상태, 형편 등이 어찌 되어 있다.
怎么样
想法、感觉、状态或境况等成为什么状况。

• -어 (语尾) : (두루낮춤으로) 어떤 사실을 서술하거나 물음, 명령, 권유를 나타내는 종결 어미.

无对应词汇
(普卑) 表示陈述某种事实、询问、命令或劝说。**<提问>**

그래.

그것(그거)+이 좋+겠+다.
그게

• **그래 (叹词)** : '그렇게 하겠다, 그렇다, 알았다' 등 긍정하는 뜻으로, 대답할 때 쓰는 말.
好吧，是
用于回答，表示"会那样做，是那样的，知道了"等肯定的含义。

• **그것 (代词)** : 앞에서 이미 이야기한 대상을 가리키는 말.
那个
指代前面已提到过的对象。

• 이 (助词) : 어떤 상태나 상황의 대상이나 동작의 주체를 나타내는 조사.
无对应词汇
表示行为的主体或状态描述的对象。

• **좋다 (形容词)** : 어떤 일이나 대상이 마음에 들고 만족스럽다.
喜爱，喜欢
某事或某个对象很称心、很满意。

• -겠- (语尾) : 미래의 일이나 추측을 나타내는 어미.
无对应词汇
表示将来或推测。

• -다 (语尾) : (아주낮춤으로) 어떤 사건이나 사실, 상태를 서술함을 나타내는 종결 어미.
无对应词汇
(高卑) 表示陈述某个事件、事实或状态。

< 대화(聊天) > - 73

처음 해 보는 일에 새롭게 도전하는 것이 두렵지 않으세요?
처음 해 보는 이레 새롭께 도전하는 거시 두렵찌 아느세요?
cheoeum hae boneun ire saeropge dojeonhaneun geosi duryeopji aneuseyo?

아니요. 더디지만 하나씩 알아 나가는 재미가 있어요.
아니요. 더디지만 하나씩 아라 나가는 재미가 이써요.
aniyo. deodijiman hanassik ara naganeun jaemiga isseoyo.

< 설명(说明) / 번역(翻译) >

처음 하+[여 보]+는 일+에 새롭+게 도전하+[는 것]+이 두렵+[지 않]+으세요?
해 보는

- **처음 (名词)** : 차례나 시간상으로 맨 앞.
  第一次，初次
  在顺序或时间上排在最前面。

- **하다 (动词)** : 어떤 행동이나 동작, 활동 등을 행하다.
  做，干
  进行某种行动、动作或活动。

- -여 보다 (表达) : 앞의 말이 나타내는 행동을 시험 삼아 함을 나타내는 표현.
  无对应词汇
  表示试着做前面所指的行动。

- -는 (语尾) : 앞의 말이 관형어의 기능을 하게 만들고 사건이나 동작이 현재 일어남을 나타내는 어미.
  无对应词汇
  使前面的词具有定语功能，表示事件或动作现在正在发生。

- **일 (名词)** : 무엇을 이루려고 몸이나 정신을 사용하는 활동. 또는 그 활동의 대상.
  事情，工作
  为了实现某事而使用身体或精神的活动；或指该活动的对象。

- 에 (助词) : 앞말이 어떤 행위나 감정 등의 대상임을 나타내는 조사.
  无对应词汇
  表示某行为或感情等的对象。

• **새롭다 (形容词)** : 지금까지의 것과 다르거나 있은 적이 없다.
新
与至今为止的东西不同或不曾存在过。

• -게 (语尾) : 앞의 말이 뒤에서 가리키는 일의 목적이나 결과, 방식, 정도 등이 됨을 나타내는 연결 어미.
无对应词汇
表示前面的内容为后面所指事情的目的、结果、方式或程度等。**<方式>**

• **도전하다 (动词)** : (비유적으로) 가치 있는 것이나 목표한 것을 얻기 위해 어려움에 맞서다.
挑战
(喻义) 为了获得有价值的东西或目标而面对困难。

• -는 것 (表达) : 명사가 아닌 것을 문장에서 명사처럼 쓰이게 하거나 '이다' 앞에 쓰일 수 있게 할 때 쓰는 표현.
无对应词汇
用于使非名词在句中用作名词或使其可出现在"이다"前面。

• 이 (助词) : 어떤 상태나 상황의 대상이나 동작의 주체를 나타내는 조사.
无对应词汇
表示行为的主体或状态描述的对象。

• **두렵다 (形容词)** : 걱정되고 불안하다.
担忧
担心不安。

• -지 않다 (表达) : 앞의 말이 나타내는 행위나 상태를 부정하는 뜻을 나타내는 표현.
无对应词汇
表示否定前面所指的行为或状态。

• -으세요 (语尾) : (두루높임으로) 설명, 의문, 명령, 요청의 뜻을 나타내는 종결 어미.
无对应词汇
(普尊) 表示说明、疑问、命令、请求。**<提问>**

아니요.

더디+지만 하나+씩 알+[아 나가]+는 재미+가 있+어요.

• **아니요 (叹词)** : 윗사람이 묻는 말에 대하여 부정하며 대답할 때 쓰는 말.
不是，不用
用于否定回答长辈所提出的问题。

• **더디다 (形容词)** : 속도가 느려 무엇을 하는 데 걸리는 시간이 길다.
慢，迟缓
速度缓慢，做某事时需要较长时间。

• -지만 : 앞에 오는 말을 인정하면서 그와 반대되거나 다른 사실을 덧붙일 때 쓰는 연결 어미.
无对应词汇
表示承认前面的话，同时添加与此相反或不同的事实。

• **하나 (数词)** : 숫자를 셀 때 맨 처음의 수.
一
数数时的第一个数字。

• 씩 (词缀) : '그 수량이나 크기로 나뉨'의 뜻을 더하는 접미사.
无对应词汇
指"按其数量或大小进行分类"。

• **알다 (动词)** : 교육이나 경험, 생각 등을 통해 사물이나 상황에 대한 정보 또는 지식을 갖추다.
知道，明白
通过教育、经验、思考等来，具备与事物或情况相关的信息或知识。

• -아 나가다 : 앞의 말이 나타내는 행동을 계속 진행함을 나타내는 표현.
无对应词汇
表示前面所指的行动持续进行。

• -는 : 앞의 말이 관형어의 기능을 하게 만들고 사건이나 동작이 현재 일어남을 나타내는 어미.
无对应词汇
使前面的词具有定语功能，表示事件或动作现在正在发生。

• **재미 (名词)** : 어떤 것이 주는 즐거운 기분이나 느낌.
兴趣，趣味
使人感到愉快的气氛或感觉。

• 가 (助词) : 어떤 상태나 상황에 놓인 대상이나 동작의 주체를 나타내는 조사.
无对应词汇
表示行为的主体或状态描述的对象。

• **있다 (形容词)** : 사실이나 현상이 존재하다.
有
事实或现象存在。

• -어요 : (두루높임으로) 어떤 사실을 서술하거나 질문, 명령, 권유함을 나타내는 종결 어미.
无对应词汇
(普尊) 表示叙述某个事实，或提问、命令、劝说。**<叙述>**

< 대화(聊天) > - 74

너 지우랑 화해했니?
너 지우랑 화해핸니?
neo jiurang hwahaehaenni?

아니. 난 지우한테 먼저 사과를 받아 낼 거야.
아니. 난 지우한테 먼저 사과를 바다 낼 꺼야.
ani. nan jiuhante meonjeo sagwareul bada nael geoya.

< 설명(说明) / 번역(翻译) >

너 지우+랑 화해하+였+니?
화해했니

• **너 (代词)** : 듣는 사람이 친구나 아랫사람일 때, 그 사람을 가리키는 말.
你
指代听者，用于朋友或晚辈。

• **지우 (名词)** : 人名

• 랑 (助词) : 누군가를 상대로 하여 어떤 일을 할 때 그 상대임을 나타내는 조사.
跟，和
表示做某事时针对的对象。

• **화해하다 (动词)** : 싸움을 멈추고 서로 가지고 있던 안 좋은 감정을 풀어 없애다.
和解，讲和
停止争斗，消解相互间持有的不好的感情。

• -였- (语尾) : 어떤 사건이 과거에 완료되었거나 그 사건의 결과가 현재까지 지속되는 상황을 나타내는 어미.
无对应词汇
表示某一事件已结束或其结果保持到现在。

• -니 (语尾) : (아주낮춤으로) 물음을 나타내는 종결 어미.
无对应词汇
(高卑) 表示询问。

아니.

나+는 지우+한테 먼저 사과+를 받+[아 내]+[ㄹ 것(거)]+(이)+야.
난 받아 낼 거야

• **아니 (叹词)** : 아랫사람이나 나이나 지위 등이 비슷한 사람이 물어보는 말에 대해 부정하여 대답할 때 쓰는 말.
不是，不用，不要
用于否定回答晚辈或年龄、地位等相等的人所提出的问题。

• **나 (代词)** : 말하는 사람이 친구나 아랫사람에게 자기를 가리키는 말.
我
说话人在朋友或晚辈面前用来指称自己。

• 는 (助词) : 문장 속에서 어떤 대상이 화제임을 나타내는 조사.
无对应词汇
表示文中某个对象成为话题。

• **지우 (名词)** : 人名

• 한테 (助词) : 어떤 행동의 주체이거나 비롯되는 대상임을 나타내는 조사.
无对应词汇
表示某个动作的主体或动作起始的对象。

• **먼저 (副词)** : 시간이나 순서에서 앞서.
先
在时间或顺序上领先。

• **사과 (名词)** : 자신의 잘못을 인정하며 용서해 달라고 빎.
道歉
承认自己的不是并请求原谅的行为。

• 를 (助词) : 동작이 직접적으로 영향을 미치는 대상을 나타내는 조사.
无对应词汇
表示动作直接涉及的对象。

• **받다 (动词)** : 요구나 신청, 질문, 공격, 신호 등과 같은 작용을 당하거나 그에 응하다.
接，接受
受到要求、申请、提问、攻击或信号等的作用，或指对这些做出反应。

• -아 내다 (表达) : 앞의 말이 나타내는 행동을 스스로의 힘으로 끝내 이룸을 나타내는 표현.
无对应词汇
表示以自己的力量终于完成前面所指的行动。

• -ㄹ 것 (表达) : 명사가 아닌 것을 문장에서 명사처럼 쓰이게 하거나 '이다' 앞에 쓰일 수 있게 할 때 쓰는 표현.

无对应词汇

用于使非名词在句中用作名词或使其能用在"이다"前面。

• 이다 (助词) : 주어가 지시하는 대상의 속성이나 부류를 지정하는 뜻을 나타내는 서술격 조사.

无对应词汇

表示指定主语所指示的属性或类型。

• -야 (语尾) : (두루낮춤으로) 어떤 사실에 대하여 서술하거나 물음을 나타내는 종결 어미.

无对应词汇

(普卑) 表示叙述或询问某个事实。**<叙述>**

< 대화(聊天) > - 75

왜 교실에 안 들어가고 밖에 서 있어?
왜 교시레 안 드러가고 바께 서 이써?
wae gyosire an deureogago bakke seo isseo?

누가 문을 잠가 놓았는지 문이 안 열려요.
누가 무늘 잠가 노안는지 무니 안 열려요.
nuga muneul jamga noanneunji muni an yeollyeoyo.

< 설명(说明) / 번역(翻译) >

왜 교실+에 안 들어가+고 밖+에 서+[(어) 있]+어?
서 있어

• **왜 (副词)** : 무슨 이유로. 또는 어째서.
为什么
因什么原因；或指怎么。

• **교실 (名词)** : 유치원, 초등학교, 중학교, 고등학교에서 교사가 학생들을 가르치는 방.
教室
在幼儿园、小学、初中和高中等地教师教授学生的房间。

• 에 (助词) : 앞말이 목적지이거나 어떤 행위의 진행 방향임을 나타내는 조사.
无对应词汇
表示目的地或某行为进行的方向。

• **안 (副词)** : 부정이나 반대의 뜻을 나타내는 말.
不
表示否定或反对。

• **들어가다 (动词)** : 밖에서 안으로 향하여 가다.
进，进去
由外往里去。

• -고 (语尾) : 앞의 말이 나타내는 행동이나 그 결과가 뒤에 오는 행동이 일어나는 동안에 그대로 지속됨을 나타내는 연결 어미.
无对应词汇
表示前面的动作或其结果在后面动作进行的过程中一直持续。

• **밖 (名词)** : 선이나 경계를 넘어선 쪽.
外，外边
越过线或界限的那边。

• 에 (助词) : 앞말이 어떤 장소나 자리임을 나타내는 조사.
无对应词汇
表示某个处所或地点。

• **서다 (动词)** : 사람이나 동물이 바닥에 발을 대고 몸을 곧게 하다.
站，站立
人或动物把脚放在地上，使身体挺直。

• -어 있다 (表达) : 앞의 말이 나타내는 상태가 계속됨을 나타내는 표현.
无对应词汇
表示前面所指的行动持续进行。

• -어 (语尾) : (두루낮춤으로) 어떤 사실을 서술하거나 물음, 명령, 권유를 나타내는 종결 어미.
无对应词汇
(普卑) 表示陈述某种事实、询问、命令或劝说。**<提问>**

누(구)+가 문+을 잠그(잠ㄱ)+[아 놓]+았+는지 문+이 안 열리+어요.
누가 잠가 놓았는지 열려요

• **누구 (代词)** : 모르는 사람을 가리키는 말.
谁
指不认识的人。

• 가 (助词) : 어떤 상태나 상황에 놓인 대상이나 동작의 주체를 나타내는 조사.
无对应词汇
表示行为的主体或状态描述的对象。

• **문 (名词)** : 사람이 안과 밖을 드나들거나 물건을 넣고 꺼낼 수 있게 하기 위해 열고 닫을 수 있도록 만든 시설.
门
为了能让人出入或能拿放东西而制作的可以开关的设施。

• 을 (助词) : 동작이 직접적으로 영향을 미치는 대상을 나타내는 조사.
无对应词汇
表示动作直接涉及的对象。

• **잠그다 (动词)** : 문 등을 자물쇠나 고리로 남이 열 수 없게 채우다.
锁
用锁或栓条把门扣住使别人打不开。

- -아 놓다 (表达) : 앞의 말이 나타내는 행동을 끝내고 그 결과를 유지함을 나타내는 표현.
  无对应词汇
  表示做完前面所指的行动后，维持其结果。

- -았- (语尾) : 어떤 사건이 과거에 완료되었거나 그 사건의 결과가 현재까지 지속되는 상황을 나타내는 어미.
  无对应词汇
  表示某一事件已结束或其结果保持到现在。

- -는지 (语尾) : 뒤에 오는 말의 내용에 대한 막연한 이유나 판단을 나타내는 연결 어미.
  无对应词汇
  表示模糊的原因或判断。

- **문 (名词)** : 사람이 안과 밖을 드나들거나 물건을 넣고 꺼낼 수 있게 하기 위해 열고 닫을 수 있도록 만든 시설.
  门
  为了能让人出入或能拿放东西而制作的可以开关的设施。

- 이 (助词) : 어떤 상태나 상황의 대상이나 동작의 주체를 나타내는 조사.
  无对应词汇
  表示行为的主体或状态描述的对象。

- **안 (副词)** : 부정이나 반대의 뜻을 나타내는 말.
  不
  表示否定或反对。

- **열리다 (动词)** : 닫히거나 잠겨 있던 것이 트이거나 풀리다.
  开
  关着或闭着的东西被打通或掀开。

- -어요 (语尾) : (두루높임으로) 어떤 사실을 서술하거나 질문, 명령, 권유함을 나타내는 종결 어미.
  无对应词汇
  (普尊) 表示叙述某个事实，或提问、命令、劝说。**<叙述>**

< 대화(聊天) > - 76

오늘 행사는 아홉 시부터 시작인데 왜 벌써 가?
오늘 행사는 아홉 시부터 시자긴데 왜 벌써 가?
oneul haengsaneun ahop sibuteo sijaginde wae beolsseo ga?

준비할 게 많으니까 조금 일찍 와 달라는 부탁을 받았어.
준비할 께 마느니까 조금 일찍 와 달라는 부타글 바다써.
junbihal ge maneunikka jogeum iljjik wa dallaneun butageul badasseo.

< 설명(说明) / 번역(翻译) >

오늘 행사+는 아홉 시+부터 시작+이+ㄴ데 왜 벌써 가+(아)?
시작인데 가

• **오늘 (名词)** : 지금 지나가고 있는 이날.
今天，今日
现在正在度过的这一天。

• **행사 (名词)** : 목적이나 계획을 가지고 절차에 따라서 어떤 일을 시행함. 또는 그 일.
活动，仪式，典礼
有目的或计划地按程序做某事；或指该事。

• 는 (助词) : 문장 속에서 어떤 대상이 화제임을 나타내는 조사.
无对应词汇
表示文中某个对象成为话题。

• **아홉 (冠形词)** : 여덟에 하나를 더한 수의.
九
8加1得到的数的。

• **시 (名词)** : 하루를 스물넷으로 나누었을 때 그 하나를 나타내는 시간의 단위.
点，点钟
计时单位，表示一天二十四小时中的某一个。

• 부터 (助词) : 어떤 일의 시작이나 처음을 나타내는 조사.
从
表示某事的开始或起始。

• **시작 (名词)** : 어떤 일이나 행동의 처음 단계를 이루거나 이루게 함. 또는 그런 단계.
开始，开端，开头，起始，起头
形成某事或某行动的初期阶段，或指那样的阶段。

• 이다 (助词) : 주어가 지시하는 대상의 속성이나 부류를 지정하는 뜻을 나타내는 서술격 조사.
无对应词汇
表示指定主语所指示的属性或类型。

• -ㄴ데 (语尾) : 뒤의 말을 하기 위하여 그 대상과 관련이 있는 상황을 미리 말함을 나타내는 연결 어미.
无对应词汇
表示为了说后面的话而先说与其相关的状况。

• **왜 (副词)** : 무슨 이유로. 또는 어째서.
为什么
因什么原因；或指怎么。

• **벌써 (副词)** : 생각보다 빠르게.
已经
比想象早地。

• **가다 (动词)** : 한 곳에서 다른 곳으로 장소를 이동하다.
去
从一个地方移动到另一个地方。

• -아 (语尾) : (두루낮춤으로) 어떤 사실을 서술하거나 물음, 명령, 권유를 나타내는 종결 어미.
无对应词汇
(普卑) 表示陈述、询问、命令或劝说某种事实。<提问>

준비하+[ㄹ 것(거)]+이 많+으니까
준비할 게

조금 일찍 오+[아 달]+라는 부탁+을 받+았+어.
와 달라는

• **준비하다 (动词)** : 미리 마련하여 갖추다.
准备
事先筹备。

• -ㄹ 것 (表达) : 명사가 아닌 것을 문장에서 명사처럼 쓰이게 하거나 '이다' 앞에 쓰일 수 있게 할 때 쓰는 표현.
无对应词汇
用于使非名词在句中用作名词或使其能用在“이다”前面。

• 이 (助词) : 어떤 상태나 상황의 대상이나 동작의 주체를 나타내는 조사.
无对应词汇
表示行为的主体或状态描述的对象。

• **많다 (形容词)** : 수나 양, 정도 등이 일정한 기준을 넘다.
多，丰富，强
数、量、程度等超过一定标准。

• -으니까 (语尾) : 뒤에 오는 말에 대하여 앞에 오는 말이 원인이나 근거, 전제가 됨을 강조하여 나타내는 연결 어미.
无对应词汇
表示强调前句为后句的原因、依据或前提。

• **조금 (副词)** : 시간이 짧게.
一会儿
时间短暂地。

• **일찍 (副词)** : 정해진 시간보다 빠르게.
早早儿
比指定时间早地。

• **오다 (动词)** : 무엇이 다른 곳에서 이곳으로 움직이다.
来，来到
从别的地方移动到这个地方。

• -아 달다 (表达) : 앞의 말이 나타내는 행동을 해 줄 것을 요구함을 나타내는 표현.
无对应词汇
表示要求做前面所指的行动。

• -라는 (表达) : 명령이나 요청 등의 말을 인용하여 전달하면서 그 뒤에 오는 명사를 꾸며 줄 때 쓰는 표현.
无对应词汇
通过引用转达命令或请求等，以此修饰后面的名词。

• **부탁 (名词)** : 어떤 일을 해 달라고 하거나 맡김.
拜托，请求，托付
请他人做某事或将某事委托给他人。

• 을 (助词) : 동작이 직접적으로 영향을 미치는 대상을 나타내는 조사.
无对应词汇
表示动作直接涉及的对象。

• **받다 (动词)** : 요구나 신청, 질문, 공격, 신호 등과 같은 작용을 당하거나 그에 응하다.
接，接受
受到要求、申请、提问、攻击或信号等的作用，或指对这些做出反应。

• -았- (语尾) : 어떤 사건이 과거에 완료되었거나 그 사건의 결과가 현재까지 지속되는 상황을 나타내는 어미.
无对应词汇
表示某一事件已结束或其结果保持到现在。

• -어 (语尾) : (두루낮춤으로) 어떤 사실을 서술하거나 물음, 명령, 권유를 나타내는 종결 어미.
无对应词汇
(普卑) 表示陈述某种事实、询问、命令或劝说。**<叙述>**

< 대화(聊天) > - 77

이 옷 한번 입어 봐도 되죠?
이 옫 한번 이버 봐도 되죠?
i ot hanbeon ibeo bwado doejyo?

그럼요, 손님. 탈의실은 이쪽입니다.
그러묘, 손님. 타리시른 이쪼김니다.
geureomyo, sonnim. tarisireun ijjogimnida.

< 설명(说明) / 번역(翻译) >

이 옷 한번 입+[어 보]+[아도 되]+죠?
입어 봐도 되죠

• **이 (冠形词)** : 말하는 사람에게 가까이 있거나 말하는 사람이 생각하고 있는 대상을 가리킬 때 쓰는 말.
这，这个
用于指示与话者离得近的物品，或用于指示话者所想的对象。

• **옷 (名词)** : 사람의 몸을 가리고 더위나 추위 등으로부터 보호하며 멋을 내기 위하여 입는 것.
衣服，衣裳，服装
为遮掩身体、防晒抗寒以及追求美观而穿的遮挡物。

• **한번 (副词)** : 어떤 일을 시험 삼아 시도함을 나타내는 말.
一下
表示把某事当做试验来尝试。

• **입다 (动词)** : 옷을 몸에 걸치거나 두르다.
穿
将衣服披或裹在身上。

• -어 보다 (表达) : 앞의 말이 나타내는 행동을 시험 삼아 함을 나타내는 표현.
无对应词汇
表示试着做前面所指的行动。

• -아도 되다 (表达) : 어떤 행동에 대한 허락이나 허용을 나타낼 때 쓰는 표현.
无对应词汇
表示允许或同意某个行动。

• -죠 (语尾) : (두루높임으로) 말하는 사람이 듣는 사람에게 친근함을 나타내며 물을 때 쓰는 종결 어미.
无对应词汇
(普尊) 表示说话人亲切询问听话人。

그럼+요, 손님.

탈의실+은 <u>이쪽+이+ㅂ니다</u>.

이쪽입니다

• **그럼 (叹词)** : 말할 것도 없이 당연하다는 뜻으로 대답할 때 쓰는 말.
可不是，就是，当然
用于肯定回答，表示自不必说，没有疑问。

• 요 (助词) : 높임의 대상인 상대방에게 존대의 뜻을 나타내는 조사.
无对应词汇
对于尊敬的对象表示尊重。主要用在在名词、副词、连接词尾后。

• **손님 (名词)** : (높임말로) 여관이나 음식점 등의 가게에 찾아온 사람.
客人，顾客
(尊称) 来旅馆或餐厅等店铺的人。

• **탈의실 (名词)** : 옷을 벗거나 갈아입는 방.
更衣室
专供脱衣或更换衣服的房间。

• 은 (助词) : 문장 속에서 어떤 대상이 화제임을 나타내는 조사.
无对应词汇
表示某个对象是句中的话题。

• **이쪽 (代词)** : 말하는 사람에게 가까운 곳이나 방향을 가리키는 말.
这边
指代离说话人很近的地方或方向。

• 이다 (助词) : 주어가 지시하는 대상의 속성이나 부류를 지정하는 뜻을 나타내는 서술격 조사.
无对应词汇
表示指定主语所指示的属性或类型。

• -ㅂ니다 (语尾) : (아주높임으로) 현재의 동작이나 상태, 사실을 정중하게 설명함을 나타내는 종결 어미.
无对应词汇
(高尊) 表示以郑重的语气说明现在的动作、状态或事实。

< 대화(聊天) > - 78

많이 취하신 거 같아요. 제가 택시 잡아 드릴게요.
마니 취하신 거 가타요. 제가 택씨 자바 드릴께요.
mani chwihasin geo gatayo. jega taeksi jaba deurilgeyo.

괜찮아요. 좀 걷다가 지하철 타고 가면 됩니다.
괜차나요. 좀 걷따가 지하철 타고 가면 됩니다.
gwaenchanayo. jom geotdaga jihacheol tago gamyeon doemnida.

< 설명(说明) / 번역(翻译) >

많이 취하+시+[ㄴ 것(거) 같]+아요.
취하신 거 같아요

제+가 택시 잡+[아 드리]+ㄹ게요.
잡아 드릴게요

• **많이 (副词)** : 수나 양, 정도 등이 일정한 기준보다 넘게.
多
数、量、程度等超过一定标准地。

• **취하다 (动词)** : 술이나 약 등의 기운으로 정신이 흐려지고 몸을 제대로 움직일 수 없게 되다.
醉
由于酒劲或药劲而精神恍惚，身体无法正常行动。

• -시- (语尾) : 어떤 동작이나 상태의 주체를 높이는 뜻을 나타내는 어미.
无对应词汇
表示对某个动作或状态主体的尊敬。

• -ㄴ 것 같다 (表达) : 추측을 나타내는 표현.
无对应词汇
表示推测。

• -아요 (语尾) : (두루높임으로) 어떤 사실을 서술하거나 질문, 명령, 권유함을 나타내는 종결 어미.
无对应词汇
(普尊) 表示叙述某个事实，或提问、命令、劝说。

• **제 (代词)** : 말하는 사람이 자신을 낮추어 가리키는 말인 '저'에 조사 '가'가 붙을 때의 형태.
我
说话人对自己的谦称"저"后加助词"가"的形态。

• 가 (助词) : 어떤 상태나 상황에 놓인 대상이나 동작의 주체를 나타내는 조사.
无对应词汇
表示行为的主体或状态描述的对象。

• **택시 (名词)** : 돈을 받고 손님이 원하는 곳까지 태워 주는 일을 하는 승용차.
出租车
收费后，将客人送到其指定地点的汽车。

• **잡다 (动词)** : 자동차 등을 타기 위하여 세우다.
叫，打
为了乘车而让车停下。

• -아 드리다 (表达) : (높임말로) 남을 위해 앞의 말이 나타내는 행동을 함을 나타내는 표현.
无对应词汇
(尊称) 表示为了别人做前面所指的动作。

• -ㄹ게요 (表达) : (두루높임으로) 말하는 사람이 어떤 행동을 할 것을 듣는 사람에게 약속하거나 의지를 나타내는 표현
无对应词汇
(普尊) 表示说话人向听话人约定做某个行为或表达做某个行为的意志。

괜찮+아요.

좀 걷+다가 지하철 타+고 가+[면 되]+ㅂ니다.

가면 됩니다

• **괜찮다 (形容词)** : 별 문제가 없다.
无恙，没事
没有特别的问题。

• -아요 (语尾) : (두루높임으로) 어떤 사실을 서술하거나 질문, 명령, 권유함을 나타내는 종결 어미.
无对应词汇
(普尊) 表示叙述某个事实，或提问、命令、劝说。

• **좀 (副词)** : 시간이 짧게.
一会儿
时间短暂地。

• **걷다 (动词)** : 바닥에서 발을 번갈아 떼어 옮기면서 움직여 위치를 옮기다.
走，行走，步行
在地上交替着抬起并移动脚，改换位置。

• -다가 (语尾) : 어떤 행동이나 상태 등이 중단되고 다른 행동이나 상태로 바뀜을 나타내는 연결 어미.
无对应词汇
表示某个动作或状态等中断后转为另一动作或状态。

• **지하철 (名词)** : 지하 철도로 다니는 전동차.
地铁
行驶在地下铁路的电动车。

• **타다 (动词)** : 탈것이나 탈것으로 이용하는 짐승의 몸 위에 오르다.
乘，乘坐
坐到交通工具或当作交通工具的动物背上。

• -고 (语尾) : 앞의 말이 나타내는 행동이나 그 결과가 뒤에 오는 행동이 일어나는 동안에 그대로 지속됨을 나타내는 연결 어미.
无对应词汇
表示前面的动作或其结果在后面动作进行的过程中一直持续。

• **가다 (动词)** : 한 곳에서 다른 곳으로 장소를 이동하다.
去
从一个地方移动到另一个地方。

• -면 되다 (表达) : 조건이 되는 어떤 행동을 하거나 어떤 상태만 갖추어지면 문제가 없거나 충분함을 나타내는 표현.
无对应词汇
表示只要做满足条件的某个行动或具备满足条件的某个状态，就没有问题或足够。

• -ㅂ니다 (语尾) : (아주높임으로) 현재의 동작이나 상태, 사실을 정중하게 설명함을 나타내는 종결 어미.
无对应词汇
(高尊) 表示以郑重的语气说明现在的动作、状态或事实。

< 대화(聊天) > - 79

책상 위에 있는 쓰레기 같은 것들은 좀 치워 버려라.
책쌍 위에 인는 쓰레기 가튼 걷뜨른 좀 치워 버려라.
chaeksang wie inneun sseuregi gateun geotdeureun jom chiwo beoryeora.

아냐. 다 필요한 것들이니까 버리면 안 돼.
아냐. 다 피료한 걷뜨리니까 버리면 안 돼.
anya. da piryohan geotdeurinikka beorimyeon an dwae.

< 설명(说明) / 번역(翻译) >

책상 위+에 있+는 쓰레기 같+[은 것]+들+은 좀 치우+[어 버리]+어라.

치워 버려라

- **책상 (名词)** : 책을 읽거나 글을 쓰거나 사무를 볼 때 앞에 놓고 쓰는 상.
  书桌
  供阅读或书写或办公用的桌子。

- **위 (名词)** : 어떤 것의 겉면이나 평평한 표면.
  上
  某东西的表面或平坦的表面。

- 에 (助词) : 앞말이 어떤 장소나 자리임을 나타내는 조사.
  无对应词汇
  表示某个处所或地点。

- **있다 (形容词)** : 무엇이 어떤 곳에 자리나 공간을 차지하고 존재하는 상태이다.
  在
  某物占有某处位置或空间。

- -는 (语尾) : 앞의 말이 관형어의 기능을 하게 만들고 사건이나 동작이 현재 일어남을 나타내는 어미.
  无对应词汇
  使前面的词具有定语功能，表示事件或动作现在正在发生。

- **쓰레기 (名词)** : 쓸어 낸 먼지, 또는 못 쓰게 되어 내다 버릴 물건이나 내다 버린 물건.
  垃圾
  扫除的灰尘、不能用而扔掉的东西或丢弃的东西。

• **같다 (形容词)** : 무엇과 비슷한 종류에 속해 있음을 나타내는 말.
那样的，类似的
表示与某物属于近似的种类。

• -은 것 (表达) : 명사가 아닌 것을 문장에서 명사처럼 쓰이게 하거나 '이다' 앞에 쓰일 수 있게 할 때 쓰는 표현.
无对应词汇
用于使非名词在句中用作名词，或使其可出现在"이다"前面。

• 들 (词缀) : '복수'의 뜻을 더하는 접미사.
无对应词汇
指"复数"。

• 은 (助词) : 문장 속에서 어떤 대상이 화제임을 나타내는 조사.
无对应词汇
表示某个对象是句中的话题。

• **좀 (副词)** : 주로 부탁이나 동의를 구할 때 부드러운 느낌을 주기 위해 넣는 말.
一下
主要用于委婉请求或征得同意。

• **치우다 (动词)** : 청소하거나 정리하다.
清扫，收起，归整
打扫或整理。

• -어 버리다 (表达) : 앞의 말이 나타내는 행동이 완전히 끝났음을 나타내는 표현.
无对应词汇
表示前面所指的行动完全结束。

• -어라 (语尾) : (아주낮춤으로) 명령을 나타내는 종결 어미.
无对应词汇
(高卑) 表示命令。

<u>아니야</u>.
아냐

다 <u>필요하+[ㄴ 것]+들+이+니까</u> <u>버리+[면 안 되]+어</u>.
필요한 것들이니까 **버리면 안 돼**

• **아니야 (叹词)** : 묻는 말에 대하여 강조하며, 또는 단호하게 부정하며 대답할 때 쓰는 말.
不是，不对
用于回答提问，表示强调或坚决否定。

• **다 (副词)** : 남거나 빠진 것이 없이 모두.
全，都
一点不剩或不落下而全部。

• **필요하다 (形容词)** : 꼭 있어야 하다.
必需，必要
一定要有的。

• -ㄴ 것 (表达) : 명사가 아닌 것을 문장에서 명사처럼 쓰이게 하거나 '이다' 앞에 쓰일 수 있게 할 때 쓰는 표현.
无对应词汇
用于使非名词的词性在句中用作名词或使其可出现在"이다"前面。

• 들 (词缀) : '복수'의 뜻을 더하는 접미사.
无对应词汇
指"复数"。

• 이다 (助词) : 주어가 지시하는 대상의 속성이나 부류를 지정하는 뜻을 나타내는 서술격 조사.
无对应词汇
表示指定主语所指示的属性或类型。

• -니까 (语尾) : 뒤에 오는 말에 대하여 앞에 오는 말이 원인이나 근거, 전제가 됨을 강조하여 나타내는 연결 어미.
无对应词汇
表示强调前句为后句的原因、依据或前提。

• **버리다 (动词)** : 가지고 있을 필요가 없는 물건을 내던지거나 쏟거나 하다.
扔，丢
丢弃或倒掉没必要继续持有的东西。

• -면 안 되다 (表达) : 어떤 행동이나 상태를 금지하거나 제한함을 나타내는 표현.
无对应词汇
表示禁止或限制某个行动或状态。

• -어 (语尾) : (두루낮춤으로) 어떤 사실을 서술하거나 물음, 명령, 권유를 나타내는 종결 어미.
无对应词汇
(普卑) 表示陈述某种事实、询问、命令或劝说。**<叙述>**

< 대화(聊天) > - 80

좋은 일 있었나 봐? 기분이 좋아 보이네.
조은 일 이썬나 봐? 기부니 조아 보이네.
joeun il isseonna bwa? gibuni joa boine.

아, 어제 남자 친구한테 반지를 선물로 받았거든요.
아, 어제 남자 친구한테 반지를 선물로 바닫꺼드뇨.
a, eoje namja chinguhante banjireul seonmullo badatgeodeunyo.

< 설명(说明) / 번역(翻译) >

좋+은 일 있+었+[나 보]+아?
있었나 봐

기분+이 좋+[아 보이]+네.

• **좋다 (形容词)** : 어떤 일이나 대상이 마음에 들고 만족스럽다.
喜爱，喜欢
某事或某个对象很称心、很满意。

• -은 (语尾) : 앞의 말이 관형어의 기능을 하게 만들고 현재의 상태를 나타내는 어미.
无对应词汇
使前面的词具有定语功能，表示现在的状态。

• **일 (名词)** : 어떤 내용을 가진 상황이나 사실.
事，事情
带有某种内容的情况或事实。

• **있다 (形容词)** : 어떤 사람에게 무슨 일이 생긴 상태이다.
有，起
在某人身上发生某件事情。

• -었- (语尾) : 사건이 과거에 일어났음을 나타내는 어미.
无对应词汇
表示过去。

• -나 보다 (表达) : 앞의 말이 나타내는 사실을 추측함을 나타내는 표현.
无对应词汇
表示推测前句所指的事实。

• -아 (语尾) : (두루낮춤으로) 어떤 사실을 서술하거나 물음, 명령, 권유를 나타내는 종결 어미.
无对应词汇
(普卑) 表示陈述、询问、命令或劝说某种事实。**<提问>**

• **기분 (名词)** : 불쾌, 유쾌, 우울, 분노 등의 감정 상태.
心情
不快、愉快、忧郁、愤怒等的情感状态。

• 이 (助词) : 어떤 상태나 상황의 대상이나 동작의 주체를 나타내는 조사.
无对应词汇
表示行为的主体或状态描述的对象。

• **좋다 (形容词)** : 감정 등이 기쁘고 흐뭇하다.
好，高兴，愉快
感情等很愉悦、很满足。

• -아 보이다 (表达) : 겉으로 볼 때 앞의 말이 나타내는 것처럼 느껴지거나 추측됨을 나타내는 표현.
看起来，看上去
表示从表面上能感觉到或能猜到前面表达的内容。

• -네 (语尾) : (아주낮춤으로) 지금 깨달은 일에 대하여 말함을 나타내는 종결 어미.
无对应词汇
(高卑) 表示现在觉察到的事情。

아, 어제 남자 친구+한테 반지+를 선물+로 받+았+거든요.

• **아 (叹词)** : 기쁨이나 감동의 느낌을 나타낼 때 내는 소리.
哇
感到喜悦、感动时发出的声音。

• **어제 (副词)** : 오늘의 하루 전날에.
昨天，昨日
在今天的前一天。

• **남자 친구 (名词)** : 여자가 사랑하는 감정을 가지고 사귀는 남자.
男朋友
女性怀着爱情交往的男性。

• 한테 (助词) : 어떤 행동의 주체이거나 비롯되는 대상임을 나타내는 조사.
无对应词汇
表示某个动作的主体或动作起始的对象。

• **반지 (名词)** : 손가락에 끼는 동그란 장신구.
戒指
套在手指上的圆形首饰。

• 를 (助词) : 동작이 직접적으로 영향을 미치는 대상을 나타내는 조사.
无对应词汇
表示动作直接涉及的对象。

• **선물 (名词)** : 고마움을 표현하거나 어떤 일을 축하하기 위해 다른 사람에게 물건을 줌. 또는 그 물건.
礼物
为表达谢意或祝贺某事而把东西送给别人；或指该东西。

• 로 (助词) : 신분이나 자격을 나타내는 조사.
无对应词汇
表示身份或资格。

• **받다 (动词)** : 다른 사람이 주거나 보내온 것을 가지다.
收到 ，得到
拿到他人给的或送来的东西。

• -았- (语尾) : 사건이 과거에 일어났음을 나타내는 어미.
无对应词汇
表示事件发生在过去。

• -거든요 (表达) : (두루높임으로) 앞의 내용에 대해 말하는 사람이 생각한 이유나 원인, 근거를 나타내는 표현.
无对应词汇
(普尊) 表示说话人就前面的内容表达理由、原因或根据。

< 대화(聊天) > - 81

저는 한국에 온 지 일 년쯤 됐어요.
저는 한구게 온 지 일 년쯤 돼써요.
jeoneun hanguge on ji il nyeonjjeum dwaesseoyo.

일 년밖에 안 됐는데도 한국어를 정말 잘하시네요.
일 년바께 안 돼는데도 한구거를 정말 잘하시네요.
il nyeonbakke an dwaenneundedo hangugeoreul jeongmal jalhasineyo.

< 설명(说明) / 번역(翻译) >

저+는 한국+에 오+[ㄴ 지] 일 년+쯤 되+었+어요.
온 지 **됐어요**

- **저 (代词)** : 말하는 사람이 듣는 사람에게 자신을 낮추어 가리키는 말.
  我
  说话人在听话人面前对自己的谦称。

- 는 (助词) : 문장 속에서 어떤 대상이 화제임을 나타내는 조사.
  无对应词汇
  表示文中某个对象成为话题。

- **한국 (名词)** : 아시아 대륙의 동쪽에 있는 나라. 한반도와 그 부속 섬들로 이루어져 있으며, 대한민국이라고도 부른다. 1950년에 일어난 육이오 전쟁 이후 휴전선을 사이에 두고 국토가 둘로 나뉘었다. 언어는 한국어이고, 수도는 서울이다.
  韩国
  位于亚洲大陆东部的一个国家，由朝鲜半岛及其附属岛屿构成，也被称为大韩民国。
  1950年朝鲜战争爆发后，其国土以休战线为界被分为两部分。语言为韩国语，首都为首尔。

- 에 (助词) : 앞말이 목적지이거나 어떤 행위의 진행 방향임을 나타내는 조사.
  无对应词汇
  表示目的地或某行为进行的方向。

- **오다 (动词)** : 무엇이 다른 곳에서 이곳으로 움직이다.
  来，来到
  从别的地方移动到这个地方。

• -ㄴ 지 (表达) : 앞의 말이 나타내는 행동을 한 후 시간이 얼마나 지났는지를 나타내는 표현.
无对应词汇
表示前面表达的行动结束之后过了多长时间。

• **일 (冠形词)** : 하나의.
一
一个的。

• **년 (名词)** : 한 해를 세는 단위.
年
计算年度的数量单位。

• 쯤 (词缀) : '정도'의 뜻을 더하는 접미사.
无对应词汇
指"程度"。

• **되다 (动词)** : 어떤 때나 시기, 상태에 이르다.
到
到达某个时间、时期或状态。

• -었- (语尾) : 어떤 사건이 과거에 완료되었거나 그 사건의 결과가 현재까지 지속되는 상황을 나타내는 어미.
无对应词汇
表示某一事件已结束或其结果保持到现在。

• -어요 (语尾) : (두루높임으로) 어떤 사실을 서술하거나 질문, 명령, 권유함을 나타내는 종결 어미.
无对应词汇
(普尊) 表示叙述某个事实，或提问、命令、劝说。**<叙述>**

일 년+밖에 안 <u>되+었+는데도</u> 한국어+를 정말 잘하+시+네요.
됐는데도

• **일 (冠形词)** : 하나의.
一
一个的。

• **년 (名词)** : 한 해를 세는 단위.
年
计算年度的数量单位。

• 밖에 (助词) : '그것을 제외하고는', '그것 말고는'의 뜻을 나타내는 조사.
只，唯有
表示"除此之外"的意思。

• **안 (副词)** : 부정이나 반대의 뜻을 나타내는 말.
不
表示否定或反对。

• **되다 (动词)** : 어떤 때나 시기, 상태에 이르다.
到
到达某个时间、时期或状态。

• -었- (语尾) : 어떤 사건이 과거에 완료되었거나 그 사건의 결과가 현재까지 지속되는 상황을 나타내는 어미.
无对应词汇
表示某一事件已结束或其结果保持到现在。

• -는데도 (表达) : 앞에 오는 말이 나타내는 상황에 상관없이 뒤에 오는 말이 나타내는 상황이 일어남을 나타내는 표현.
无对应词汇
表示与前面表达的状况无关发生后面的状况。

• **한국어 (名词)** : 한국에서 사용하는 말.
韩国语，韩语
韩国使用的语言。

• 를 (助词) : 동작이 직접적으로 영향을 미치는 대상을 나타내는 조사.
无对应词汇
表示动作直接涉及的对象。

• **정말 (副词)** : 거짓이 없이 진짜로.
真的
没有虚假而真正地。

• **잘하다 (动词)** : 익숙하고 솜씨가 있게 하다.
善于，擅长
熟练且手艺好。

• -시- (语尾) : 어떤 동작이나 상태의 주체를 높이는 뜻을 나타내는 어미.
无对应词汇
表示对某个动作或状态主体的尊敬。

• -네요 (表达) : (두루높임으로) 말하는 사람이 직접 경험하여 새롭게 알게 된 사실에 대해 감탄함을 나타낼 때 쓰는 표현.
无对应词汇
(普尊) 表示说话人感叹亲身经历所得知的新事实。

< 대화(聊天) > - 82

지우가 결혼하더니 많이 밝아졌지?
지우가 결혼하더니 마니 발가전찌?
jiuga gyeolhonhadeoni mani balgajeotji?

맞아. 지우를 십 년 동안 봐 왔지만 요새처럼 행복해 보일 때가 없었어.
마자. 지우를 십 년 동안 봐 왇찌만 요새처럼 행보캐 보일 때가 업써써.
maja. jiureul sip nyeon dongan bwa watjiman yosaecheoreom haengbokae boil ttaega eopseosseo.

< 설명(说明) / 번역(翻译) >

지우+가 결혼하+더니 많이 밝아지+었+지?

밝아졌지

• **지우 (名词)** : 人名

• 가 (助词) : 어떤 상태나 상황에 놓인 대상이나 동작의 주체를 나타내는 조사.
无对应词汇
表示行为的主体或状态描述的对象。

• **결혼하다 (动词)** : 남자와 여자가 법적으로 부부가 되다.
结婚
男性和女性在法律上成为夫妻。

• -더니 (语尾) : 과거의 사실이나 상황에 뒤이어 어떤 사실이나 상황이 일어남을 나타내는 연결 어미.
无对应词汇
表示随着过去的某个事实或状况，紧接着又发生了某一事实或状况。

• **많이 (副词)** : 수나 양, 정도 등이 일정한 기준보다 넘게.
多
数、量、程度等超过一定标准地。

• **밝아지다 (动词)** : 밝게 되다.
变亮
变得光亮。

• -었- (语尾) : 어떤 사건이 과거에 완료되었거나 그 사건의 결과가 현재까지 지속되는 상황을 나타내는 어미.
无对应词汇
表示某一事件已结束或其结果保持到现在。

• -지 (语尾) : (두루낮춤으로) 이미 알고 있는 것을 다시 확인하듯이 물을 때 쓰는 종결 어미.
无对应词汇
(普卑) 表示再次询问以确认已知信息。

맞+아.

지우+를 십 년 동안 보+[아 오]+았+지만
봐 왔지만

요새+처럼 행복하+[여 보이]+[ㄹ 때]+가 없+었+어.
행복해 보일 때가

• **맞다 (动词)** : 그렇거나 옳다.
对
正是或没错。

• -아 (语尾) : (두루낮춤으로) 어떤 사실을 서술하거나 물음, 명령, 권유를 나타내는 종결 어미.
无对应词汇
(普卑) 表示陈述、询问、命令或劝说某种事实。<叙述>

• **지우 (名词)** : 人名

• 를 (助词) : 동작이 간접적인 영향을 미치는 대상이나 목적임을 나타내는 조사.
无对应词汇
表示动作间接涉及的对象或目的。

• **십 (冠形词)** : 열의.
十
十的。

• **년 (名词)** : 한 해를 세는 단위.
年
计算年度的数量单位。

• **동안 (名词)** : 한때에서 다른 때까지의 시간의 길이.
期间
从某一时期另一时期之间的时间长度。

• **보다 (动词)** : 사람을 만나다.
看，见，见面
与别人相见。

• -아 오다 (表达) : 앞의 말이 나타내는 행동이나 상태가 어떤 기준점으로 가까워지면서 계속 진행됨을 나타내는 표현.
无对应词汇
表示前面所指的行动或状态持续进行，不断靠近某个基准点。

• -았- (语尾) : 어떤 사건이 과거에 완료되었거나 그 사건의 결과가 현재까지 지속되는 상황을 나타내는 어미.
无对应词汇
表示某一事件已结束或其结果保持到现在。

• -지만 (语尾) : 앞에 오는 말을 인정하면서 그와 반대되거나 다른 사실을 덧붙일 때 쓰는 연결 어미.
无对应词汇
表示承认前面的话，同时添加与此相反或不同的事实。

• **요새 (名词)** : 얼마 전부터 이제까지의 매우 짧은 동안.
近来，日来，最近
从不久前到现在的非常短的期间。

• 처럼 (助词) : 모양이나 정도가 서로 비슷하거나 같음을 나타내는 조사.
无对应词汇
表示样子或程度相似或相同。

• **행복하다 (形容词)** : 삶에서 충분한 만족과 기쁨을 느껴 흐뭇하다.
幸福
生活中感觉到充分的满足和愉快而决定满足。

• -여 보이다 (表达) : 겉으로 볼 때 앞의 말이 나타내는 것처럼 느껴지거나 추측됨을 나타내는 표현.
看起来，看上去
表示从表面上能感觉到或能猜到前面所表达的内容。

• -ㄹ 때 (表达) : 어떤 행동이나 상황이 일어나는 동안이나 그 시기 또는 그러한 일이 일어난 경우를 나타내는 표현.
无对应词汇
表示某种行为或状况发生的期间、时期或发生此类事情的情况。

• 가 (助词) : 어떤 행동이나 상황이 일어나는 동안이나 그 시기 또는 그러한 일이 일어난 경우를 나타내는 표현.

无对应词汇

表示行为的主体或状态描述的对象。

• **없다 (形容词)** : 어떤 사실이나 현상이 현실로 존재하지 않는 상태이다.

没有

某个事实或现象在现实里不存在。

• -었- (语尾) : 사건이 과거에 일어났음을 나타내는 어미.

无对应词汇

表示过去。

• -어 (语尾) : (두루낮춤으로) 어떤 사실을 서술하거나 물음, 명령, 권유를 나타내는 종결 어미.

无对应词汇

(普卑) 表示陈述某种事实、询问、命令或劝说。**<叙述>**

< 대화(聊天) > - 83

나는 먼저 가 있을 테니까 너도 빨리 와.
나는 먼저 가 이쓸 테니까 너도 빨리 와.
naneun meonjeo ga isseul tenikka neodo ppalli wa.

응. 알았어. 금방 따라갈게.
응. 아라써. 금방 따라갈께.
eung. arasseo. geumbang ttaragalge.

< 설명(说明) / 번역(翻译) >

나+는 먼저 가+[(아) 있]+[을 테니까] 너+도 빨리 오+아.
가 있을 테니까 와

• **나 (代词)** : 말하는 사람이 친구나 아랫사람에게 자기를 가리키는 말.
我
说话人在朋友或晚辈面前用来指称自己。

• 는 (助词) : 어떤 대상이 다른 것과 대조됨을 나타내는 조사.
无对应词汇
表示某个对象与另一个形成对照。

• **먼저 (副词)** : 시간이나 순서에서 앞서.
先
在时间或顺序上领先。

• **가다 (动词)** : 한 곳에서 다른 곳으로 장소를 이동하다.
去
从一个地方移动到另一个地方。

• -아 있다 (表达) : 앞의 말이 나타내는 상태가 계속됨을 나타내는 표현.
无对应词汇
表示前面所指状态的持续。

• -을 테니까 (表达) : 뒤에 오는 말에 대한 조건임을 강조하여 앞에 오는 말에 대한 말하는 사람의 의지를 나타내는 표현.
无对应词汇
表示说话人对前面所说内容的意志，以此作为后面内容的条件。

• **너 (代词)** : 듣는 사람이 친구나 아랫사람일 때, 그 사람을 가리키는 말.
你
指代听者，用于朋友或晚辈。

• 도 (助词) : 이미 있는 어떤 것에 다른 것을 더하거나 포함함을 나타내는 조사.
无对应词汇
表示添加或包括。

• **빨리 (副词)** : 걸리는 시간이 짧게.
快，赶快
花费的时间不长地。

• **오다 (动词)** : 무엇이 다른 곳에서 이곳으로 움직이다.
来，来到
从别的地方移动到这个地方。

• -아 (语尾) : (두루낮춤으로) 어떤 사실을 서술하거나 물음, 명령, 권유를 나타내는 종결 어미.
无对应词汇
(普卑) 表示陈述、询问、命令或劝说某种事实。**<命令>**

응.

알+았+어.

금방 따라가+ㄹ게.
따라갈게

• **응 (叹词)** : 상대방의 물음이나 명령 등에 긍정하여 대답할 때 쓰는 말.
是，行
用于肯定回答对方所提出的问题或命令等。

• **알다 (动词)** : 상대방의 어떤 명령이나 요청에 대해 그대로 하겠다는 동의의 뜻을 나타내는 말.
懂，明白
对于对方的某个命令或请求，同意听从。

• -았- (语尾) : 어떤 사건이 과거에 완료되었거나 그 사건의 결과가 현재까지 지속되는 상황을 나타내는 어미.
无对应词汇
表示某一事件已结束或其结果保持到现在。

• -어 (语尾) : (두루낮춤으로) 어떤 사실을 서술하거나 물음, 명령, 권유를 나타내는 종결 어미.
无对应词汇
(普卑) 表示陈述某种事实、询问、命令或劝说。**<叙述>**

• **금방 (副词)** : 시간이 얼마 지나지 않아 곧바로.
马上，立刻，立马
时间过去不久，很快。

• **따라가다 (动词)** : 앞에서 가는 것을 뒤에서 그대로 쫓아가다.
跟随
在后面紧跟着前者。

• -ㄹ게 (语尾) : (두루낮춤으로) 말하는 사람이 어떤 행동을 할 것을 듣는 사람에게 약속하거나 의지를 나타내는 종결 어미.
无对应词汇
(普卑) 说话人向听话人约定做某个行动或表达做某个行动的意志。

< 대화(聊天) > - 84

오늘 정말 잘 먹고 갑니다. 초대해 주셔서 감사합니다.
오늘 정말 잘 먹꼬 감니다. 초대해 주셔서 감사함니다.
oneul jeongmal jal meokgo gamnida. chodaehae jusyeoseo gamsahamnida.

아니에요. 바쁜데 이렇게 먼 곳까지 와 줘서 고마워요.
아니에요. 바쁜데 이러케 먼 곧까지 와 줘서 고마워요.
anieyo. bappeunde ireoke meon gotkkaji wa jwoseo gomawoyo.

< 설명(说明) / 번역(翻译) >

오늘 정말 잘 먹+고 가+ㅂ니다.
갑니다

초대하+[여 주]+시+어서 감사하+ㅂ니다.
초대해 주셔서 감사합니다

• **오늘 (副词)** : 지금 지나가고 있는 이날에.
今天
在正在度过的这一天。

• **정말 (副词)** : 거짓이 없이 진짜로.
真的
没有虚假而真正地。

• **잘 (副词)** : 충분히 만족스럽게.
满足地，满意地
足以感到满意地。

• **먹다 (动词)** : 음식 등을 입을 통하여 배 속에 들여보내다.
吃
将食物送进口中并咽下。

• -고 (语尾) : 앞의 말과 뒤의 말이 차례대로 일어남을 나타내는 연결 어미.
无对应词汇
表示前后两件事依次发生。

• **가다 (动词)** : 한 곳에서 다른 곳으로 장소를 이동하다.
去
从一个地方移动到另一个地方。

• -ㅂ니다 (语尾) : (아주높임으로) 현재의 동작이나 상태, 사실을 정중하게 설명함을 나타내는 종결 어미.
无对应词汇
(高尊) 表示以郑重的语气说明现在的动作、状态或事实。

• **초대하다 (动词)** : 다른 사람에게 어떤 자리, 모임, 행사 등에 와 달라고 요청하다.
邀请，招待
请人来参加某些场合、聚会、活动等。

• -여 주다 (表达) : 남을 위해 앞의 말이 나타내는 행동을 함을 나타내는 표현.
给
表示为别人做前面表达的行动。

• -시- (语尾) : 어떤 동작이나 상태의 주체를 높이는 뜻을 나타내는 어미.
无对应词汇
表示对某个动作或状态主体的尊敬。

• -어서 (语尾) : 이유나 근거를 나타내는 연결 어미.
无对应词汇
表示理由或根据。

• **감사하다 (动词)** : 고맙게 여기다.
感谢，感激
觉得感恩。

• -ㅂ니다 (语尾) : (아주높임으로) 현재의 동작이나 상태, 사실을 정중하게 설명함을 나타내는 종결 어미.
无对应词汇
(高尊) 表示以郑重的语气说明现在的动作、状态或事实。

아니+에요.

<u>바쁘+ㄴ데</u> 이렇+게 <u>멀+ㄴ</u> 곳+까지 <u>오+[아 주]+어서</u> <u>고맙(고마우)+어요</u>.

바쁜데 먼 와 줘서 고마워요

• **아니다 (形容词)** : 어떤 사실이나 내용을 부정하는 뜻을 나타내는 말.
不是，非
表示否定某些事实或内容。

• -에요 (语尾) : (두루높임으로) 어떤 사실을 서술하거나 질문함을 나타내는 종결 어미.
无对应词汇
(普尊) 表示叙述或询问某个事实。**<叙述>**

• **바쁘다 (形容词)** : 할 일이 많거나 시간이 없어서 다른 것을 할 여유가 없다.
忙，忙碌，紧张
因为要做的事情多或没有时间而无暇顾及其他。

• -ㄴ데 (语尾) : 뒤의 말을 하기 위하여 그 대상과 관련이 있는 상황을 미리 말함을 나타내는 연결 어미.
无对应词汇
表示为了说后面的话而先说与其相关的状况。

• **이렇다 (形容词)** : 상태, 모양, 성질 등이 이와 같다.
这样
表示状态、样子、性质等与此相同。

• -게 (语尾) : 앞의 말이 뒤에서 가리키는 일의 목적이나 결과, 방식, 정도 등이 됨을 나타내는 연결 어미.
无对应词汇
表示前面的内容为后面所指事情的目的、结果、方式或程度等。

• **멀다 (形容词)** : 두 곳 사이의 떨어진 거리가 길다.
远
两地之间的距离长。

• -ㄴ (语尾) : 앞의 말이 관형어의 기능을 하게 만들고 현재의 상태를 나타내는 어미.
无对应词汇
使前面的词具有定语功能，表示现在的状态。

• **곳 (名词)** : 일정한 장소나 위치.
地方，地区
一个特定的地点或位置。

• 까지 (助词) : 어떤 범위의 끝임을 나타내는 조사.
到
表示某种范围的终点。

• **오다 (动词)** : 무엇이 다른 곳에서 이곳으로 움직이다.
来，来到
从别的地方移动到这个地方。

• -아 주다 (表达) : 남을 위해 앞의 말이 나타내는 행동을 함을 나타내는 표현.
给
表示为别人做前面表达的行为。

• -어서 (语尾) : 이유나 근거를 나타내는 연결 어미.
无对应词汇
表示理由或根据。

• **고맙다 (形容词)** : 남이 자신을 위해 무엇을 해주어서 마음이 흐뭇하고 보답하고 싶다.
感谢，感激
因别人为自己做了什么，内心感到很满足，并想给予回报。

• -어요 (语尾) : (두루높임으로) 어떤 사실을 서술하거나 질문, 명령, 권유함을 나타내는 종결 어미.
无对应词汇
(普尊) 表示叙述某个事实，或提问、命令、劝说。**<叙述>**

< 대화(聊天) > - 85

백화점에는 왜 다시 가려고?
배콰저메는 왜 다시 가려고?
baekwajeomeneun wae dasi garyeogo?

어제 산 옷이 맞는 줄 알았더니 작아서 교환해야 해.
어제 산 오시 만는 줄 아랃떠니 자가서 교환해야 해.
eoje san osi manneun jul aratdeoni jagaseo gyohwanhaeya hae.

< 설명(说明) / 번역(翻译) >

백화점+에+는 왜 다시 가+려고?

• **백화점 (名词)** : 한 건물 안에 온갖 상품을 종류에 따라 나누어 벌여 놓고 판매하는 큰 상점.
百货商店
在一个建筑内按照种类分区摆放和销售各种商品的大商店。

• 에 (助词) : 앞말이 목적지이거나 어떤 행위의 진행 방향임을 나타내는 조사.
无対应词汇
表示目的地或某行为进行的方向。

• 는 (助词) : 문장 속에서 어떤 대상이 화제임을 나타내는 조사.
无对应词汇
表示文中某个对象成为话题。

• **왜 (副词)** : 무슨 이유로. 또는 어째서.
为什么
因什么原因；或指怎么。

• **다시 (副词)** : 같은 말이나 행동을 반복해서 또.
再，再次
反复相同的话或行动。

• **가다 (动词)** : 한 곳에서 다른 곳으로 장소를 이동하다.
去
从一个地方移动到另一个地方。

• -려고 (语尾) : (두루낮춤으로) 어떤 주어진 상황에 대하여 의심이나 반문을 나타내는 종결 어미.
无对应词汇
(普卑) 表示将既定状况怀疑或提出反问。

어제 <u>사+ㄴ</u> 옷+이 맞+[는 줄] 알+았더니 작+아서 <u>교환하+[여야 하]+여</u>.
산 교환해야 해

• **어제 (副词)** : 오늘의 하루 전날에.
昨天，昨日
在今天的前一天。

• **사다 (动词)** : 돈을 주고 어떤 물건이나 권리 등을 자기 것으로 만들다.
买，购买
用钱使某种东西或权利为己所有。

• -ㄴ (语尾) : 앞의 말이 관형어의 기능을 하게 만들고 사건이나 동작이 과거에 일어났음을 나타내는 어미.
无对应词汇
使前面的词具有定语功能，表示事件或动作过去已经发生。

• **옷 (名词)** : 사람의 몸을 가리고 더위나 추위 등으로부터 보호하며 멋을 내기 위하여 입는 것.
衣服，衣裳，服装
为遮掩身体、防晒抗寒以及追求美观而穿的遮挡物。

• 이 (助词) : 어떤 상태나 상황의 대상이나 동작의 주체를 나타내는 조사.
无对应词汇
表示行为的主体或状态描述的对象。

• **맞다 (动词)** : 크기나 규격 등이 어떤 것과 일치하다.
合，合适
大小或规格等与某对象一致。

• -는 줄 (表达) : 어떤 사실이나 상태에 대해 알고 있거나 모르고 있음을 나타내는 표현.
无对应词汇
表示知道或不知道某个事实或状态。

• **알다 (动词)** : 어떤 사실을 그러하다고 여기거나 생각하다.
以为
对于某个事实，认为或觉得如此。

• -았더니 (表达) : 과거의 사실이나 상황과 다른 새로운 사실이나 상황이 있음을 나타내는 표현.
无对应词汇
表示与过去的事实或情况不同的新事情或新情况存在。

• **작다 (形容词)** : 정해진 크기에 모자라서 맞지 아니하다.
小，瘦
因少于指定大小而不合尺寸。

• -아서 (语尾) : 이유나 근거를 나타내는 연결 어미.
无对应词汇
表示理由或根据。

• **교환하다 (动词)** : 무엇을 다른 것으로 바꾸다.
调换，交换
用其他物品换某物。

• -여야 하다 (表达) : 앞에 오는 말이 어떤 일을 하거나 어떤 상황에 이르기 위한 의무적인 행동이거나 필수적인 조건임을 나타내는 표현.
无对应词汇
表示前面内容是为了做某事或达到某种情况而进行的强制性动作或必要条件。

• -여 (语尾) : (두루낮춤으로) 어떤 사실을 서술하거나 물음, 명령, 권유를 나타내는 종결 어미.
无对应词汇
(普卑) 表示陈述某种事实、询问、命令或劝说。**<叙述>**

< 대화(聊天) > - 86

물을 계속 틀어 놓은 채 설거지를 하지 마세요.
무를 게속 트러 노은 채 설거지를 하지 마세요.
mureul gesok teureo noeun chae seolgeojireul haji maseyo.

방금 잠갔어요. 앞으로는 헹굴 때만 물을 틀어 놓을게요.
방금 잠가써요. 아프로는 헹굴 때만 무를 트러 노을께요.
banggeum jamgasseoyo. apeuronuen henggul ttaeman mureul teureo noeulgeyo.

< 설명(说明) / 번역(翻译) >

물+을 계속 틀+[어 놓]+[은 채] 설거지+를 하+[지 말(마)]+세요.
하지 마세요

• **물 (名词)** : 강, 호수, 바다, 지하수 등에 있으며 순수한 것은 빛깔, 냄새, 맛이 없고 투명한 액체.
水
含在河、湖、海、地下水等，纯粹的且无色无香无味的透明液体。

• 을 (助词) : 동작이 직접적으로 영향을 미치는 대상을 나타내는 조사.
无对应词汇
表示动作直接涉及的对象。

• **계속 (副词)** : 끊이지 않고 잇따라.
继续，持续
连续不中断。

• **틀다 (动词)** : 수도와 같은 장치를 작동시켜 물이 나오게 하다.
拧开，扭开
将水龙头等装置启动，使水流出来。

• -어 놓다 (表达) : 앞의 말이 나타내는 행동을 끝내고 그 결과를 유지함을 나타내는 표현.
无对应词汇
表示做完前面所指的行动后，维持其结果。

• -은 채 (表达) : 앞의 말이 나타내는 어떤 행위를 한 상태 그대로 있음을 나타내는 표현.
无对应词汇
表示维持着前面所表达的某种行为状态。

• **설거지 (名词)** : 음식을 먹고 난 뒤에 그릇을 씻어서 정리하는 일.
刷碗，洗碗
用餐后刷洗并整理餐具。

• 를 (助词) : 동작이 직접적으로 영향을 미치는 대상을 나타내는 조사.
无对应词汇
表示动作直接涉及的对象。

• **하다 (动词)** : 어떤 행동이나 동작, 활동 등을 행하다.
做，干
进行某种行动、动作或活动。

• -지 말다 (表达) : 앞의 말이 나타내는 행동을 하지 못하게 함을 나타내는 표현.
无对应词汇
表示禁止进行前面所指的行为。

• -세요 (语尾) : (두루높임으로) 설명, 의문, 명령, 요청의 뜻을 나타내는 종결 어미.
无对应词汇
(普尊) 表示说明、疑问、命令、请求。**<命令>**

방금 잠그(잠ㄱ)+았+어요.
잠갔어요

앞+으로+는 헹구+[ㄹ 때]+만 물+을 틀+[어 놓]+을게요.
헹굴 때만

• **방금 (副词)** : 말하고 있는 시점보다 바로 조금 전에.
刚才，方才
比说话时刻稍微早一点的时间。

• **잠그다 (动词)** : 물, 가스 등이 나오지 않도록 하다.
关闭，关
使水、气体等出不来。

• -았- (语尾) : 어떤 사건이 과거에 완료되었거나 그 사건의 결과가 현재까지 지속되는 상황을 나타내는 어미.
无对应词汇
表示某一事件已结束或其结果保持到现在。

• -어요 (语尾) : (두루높임으로) 어떤 사실을 서술하거나 질문, 명령, 권유함을 나타내는 종결 어미.
无对应词汇
(普尊) 表示叙述某个事实，或提问、命令、劝说。**<叙述>**

• **앞 (名词)** : 다가올 시간.
以后，未来
将来的时间。

• 으로 (助词) : 시간을 나타내는 조사.
无对应词汇
表示时间。

• 는 (助词) : 어떤 대상이 다른 것과 대조됨을 나타내는 조사.
无对应词汇
表示某个对象与另一个形成对照。

• **헹구다 (动词)** : 깨끗한 물에 넣어 비눗물이나 더러운 때가 빠지도록 흔들어 씻다.
漂洗，冲，过水
放入干净的水晃动清洗，去除肥皂水或脏东西。

• -ㄹ 때 (表达) : 어떤 행동이나 상황이 일어나는 동안이나 그 시기 또는 그러한 일이 일어난 경우를 나타내는 표현.
无对应词汇
表示某种行为或状况发生的期间、时期或发生此类事情的情况。

• 만 (助词) : 다른 것은 제외하고 어느 것을 한정함을 나타내는 조사.
无对应词汇
表示排出其他，限定某一个。

• **물 (名词)** : 강, 호수, 바다, 지하수 등에 있으며 순수한 것은 빛깔, 냄새, 맛이 없고 투명한 액체.
水
含在河、湖、海、地下水等，纯粹的且无色无香无味的透明液体。

• 을 (助词) : 동작이 직접적으로 영향을 미치는 대상을 나타내는 조사.
无对应词汇
表示动作直接涉及的对象。

• **틀다 (动词)** : 수도와 같은 장치를 작동시켜 물이 나오게 하다.
拧开，扭开
将水龙头等装置启动，使水流出来。

• -어 놓다 (表达) : 앞의 말이 나타내는 행동을 끝내고 그 결과를 유지함을 나타내는 표현.
无对应词汇
表示做完前面所指的行动后，维持其结果。

• -을게요 (表达) : (두루높임으로) 말하는 사람이 어떤 행동을 할 것을 듣는 사람에게 약속하거나 의지를 나타내는 표현.

无对应词汇

(普卑) 说话人向听话人约定做某个行动或表达做某个行动的意志。

< 대화(聊天) > - 87

작년에 갔던 그 바닷가에 또 가고 싶다.
장녀네 갇떤 그 바닫까에 또 가고 십따.
jangnyeone gatdeon geu badatgae tto gago sipda.

나도 그래. 그때 우리 참 재밌게 놀았었지.
나도 그래. 그때 우리 참 재믿께 노라썯찌.
nado geurae. geuttae uri cham jaemitge norasseotji.

< 설명(说明) / 번역(翻译) >

작년+에 가+았던 그 바닷가+에 또 가+[고 싶]+다.
갔던

• **작년 (名词)** : 지금 지나가고 있는 해의 바로 전 해.
去年
正经历的年份的前面一年。

• 에 (助词) : 앞말이 시간이나 때임을 나타내는 조사.
无对应词汇
表示时间或时候。

• **가다 (动词)** : 한 곳에서 다른 곳으로 장소를 이동하다.
去
从一个地方移动到另一个地方。

• -았던 (表达) : 과거의 사건이나 상태를 다시 떠올리거나 그 사건이나 상태가 완료되지 않고 중단되었다는 의미를 나타내는 표현.
无对应词汇
表示回顾过去的事件或状态，或指该事件或状态结束前就已经中断。

• **그 (冠形词)** : 듣는 사람에게 가까이 있거나 듣는 사람이 생각하고 있는 대상을 가리킬 때 쓰는 말.
那个
指代与听话人较近或听话人所想的对象。

• **바닷가 (名词)** : 바다와 육지가 맞닿은 곳이나 그 근처.
海边，海滨
大海和陆地相连的地方或其附近。

• 에 (助词) : 앞말이 목적지이거나 어떤 행위의 진행 방향임을 나타내는 조사.
无对应词汇
表示目的地或某行为进行的方向。

• **또 (副词)** : 어떤 일이나 행동이 다시.
又
某件事情或行为再次发生。

• **가다 (动词)** : 한 곳에서 다른 곳으로 장소를 이동하다.
去
从一个地方移动到另一个地方。

• -고 싶다 (表达) : 앞의 말이 나타내는 행동을 하기를 원함을 나타내는 표현.
想，要
表示有做前面行动的意愿。

• -다 (语尾) : (아주낮춤으로) 어떤 사건이나 사실, 상태를 서술함을 나타내는 종결 어미.
无对应词汇
(高卑) 表示陈述某个事件、事实或状态。

나+도 그렇+어.
그래

그때 우리 참 재밌+게 놀+았었+지.

• **나 (代词)** : 말하는 사람이 친구나 아랫사람에게 자기를 가리키는 말.
我
说话人在朋友或晚辈面前用来指称自己。

• 도 (助词) : 이미 있는 어떤 것에 다른 것을 더하거나 포함함을 나타내는 조사.
无对应词汇
表示添加或包括。

• **그렇다 (形容词)** : 상태, 모양, 성질 등이 그와 같다.
那样
表示状态、样子、性质等与此相同。

• -어 (语尾) : (두루낮춤으로) 어떤 사실을 서술하거나 물음, 명령, 권유를 나타내는 종결 어미.
无对应词汇
(普卑) 表示陈述某种事实、询问、命令或劝说。**<叙述>**

• **그때 (名词)** : 앞에서 이야기한 어떤 때.
那时，那时候
前面所说的某一时间。

• **우리 (代词)** : 말하는 사람이 자기와 듣는 사람 또는 이를 포함한 여러 사람들을 가리키는 말.
我们，咱们
说话人指代自己和听话人在内的一些人。

• **참 (副词)** : 사실이나 이치에 조금도 어긋남이 없이 정말로.
真，实在，的确
毫不违背事实或道理，真正地。

• **재밌다 (形容词)** : 즐겁고 유쾌한 느낌이 있다.
有趣，有意思
有欢欣愉悦的感觉。

• -게 (语尾) : 앞의 말이 뒤에서 가리키는 일의 목적이나 결과, 방식, 정도 등이 됨을 나타내는 연결 어미.
无对应词汇
表示前面的内容为后面所指事情的目的、结果、方式或程度等。

• **놀다 (动词)** : 놀이 등을 하면서 재미있고 즐겁게 지내다.
玩耍，玩乐
玩着游戏等度过有趣、愉快的时光。

• -았었- (语尾) : 현재와 비교하여 다르거나 현재로 이어지지 않는 과거의 사건을 나타내는 어미.
无对应词汇
表示过去的事件跟现在不同或未持续到现在。

• -지 (语尾) : (두루낮춤으로) 말하는 사람이 듣는 사람이 이미 알고 있다고 생각하는 것을 확인하며 말할 때 쓰는 종결 어미.
无对应词汇
(普尊) 表示说话人认为听话人已经知道某事，并就此向对方进行确认。

< 대화(聊天) > - 88

계속 돌아다녔더니 배고프다. 점심은 뭘 먹을까?
계속 도라다녇떠니 배고프다. 점시믄 뭘 머글까?
gesok doradanyeotdeoni baegopeuda. jeomsimeun mwol meogeulkka?

전주에 왔으면 비빔밥을 먹어야지.
전주에 와쓰면 비빔빠블 머거야지.
jeonjue wasseumyeon bibimbabeul meogeoyaji.

< 설명(说明) / 번역(翻译) >

계속 돌아다니+었더니 배고프+다.
돌아다녔더니

점심+은 뭐+를 먹+을까?
뭘

- **계속 (副词)** : 끊이지 않고 잇따라.
  继续，持续
  连续不中断。

- **돌아다니다 (动词)** : 여기저기를 두루 다니다.
  转悠，跑来跑去
  走遍各处。

- -었더니 (表达) : 과거의 사실이나 상황이 뒤에 오는 말의 원인이나 이유가 됨을 나타내는 표현.
  无对应词汇
  表示过去的事实或情况是后句的原因或理由。

- **배고프다 (形容词)** : 배 속이 빈 것을 느껴 음식이 먹고 싶다.
  肚子饿
  感到肚子空了，想吃东西。

- -다 (语尾) : (아주낮춤으로) 어떤 사건이나 사실, 상태를 서술함을 나타내는 종결 어미.
  无对应词汇
  (高卑) 表示陈述某个事件、事实或状态。

• **점심 (名词)** : 아침과 저녁 식사 중간에, 낮에 하는 식사.
中饭，午饭，午餐
早餐和晚餐之间，白天吃的饭。

• 은 (助词) : 문장 속에서 어떤 대상이 화제임을 나타내는 조사.
无对应词汇
表示某个对象是句中的话题。

• **뭐 (代词)** : 모르는 사실이나 사물을 가리키는 말.
什么
指代不知道的事实或事物。

• 를 (助词) : 동작이 직접적으로 영향을 미치는 대상을 나타내는 조사.
无对应词汇
表示动作直接涉及的对象。

• **먹다 (动词)** : 음식 등을 입을 통하여 배 속에 들여보내다.
吃
将食物送进口中并咽下。

• -을까 (语尾) : (두루낮춤으로) 듣는 사람의 의사를 물을 때 쓰는 종결 어미.
无对应词汇
(普卑) 表示询问听话人的想法。

전주+에 오+았으면 비빔밥+을 먹+어야지.
왔으면

• **전주 (名词)** : 한국의 전라북도 중앙부에 있는 시. 전라북도의 도청 소재지이며, 창호지, 장판지의 생산과 전주비빔밥 등으로 유명하다.
全州
位于韩国全罗北道中央的城市。为全罗北道道府所在地，以生产窗户纸、糊炕油纸及全州拌饭而著名。

• 에 (助词) : 앞말이 목적지이거나 어떤 행위의 진행 방향임을 나타내는 조사.
无对应词汇
表示目的地或某行为进行的方向。

• **오다 (动词)** : 가고자 하는 곳에 이르다.
到，来到
到达想去的地方。

• -았으면 (表达) : 앞의 말이 나타내는 과거의 상황이 뒤의 내용의 조건이 됨을 나타내는 표현.
无对应词汇
表示前面所指的过去情况为后面内容的条件。

• **비빔밥 (名词)** : 고기, 버섯, 계란, 나물 등에 여러 가지 양념을 넣고 비벼 먹는 밥.
拌饭
在肉丝、蘑菇、鸡蛋、拌菜等材料中加入各种调料后拌着吃的饭。

• 을 (助词) : 동작이 직접적으로 영향을 미치는 대상을 나타내는 조사.
无对应词汇
表示动作直接涉及的对象。

• **먹다 (动词)** : 음식 등을 입을 통하여 배 속에 들여보내다.
吃
将食物送进口中并咽下。

• -어야지 (语尾) : (두루낮춤으로) 말하는 사람의 결심이나 의지를 나타내는 종결 어미.
无对应词汇
(普卑) 表示说话人的决心或意志。

< 대화(聊天) > - 89

내일이 소풍인데 비가 너무 많이 오네.
내이리 소풍인데 비가 너무 마니 오네.
naeiri sopunginde biga neomu mani one.

그러게. 내일은 날씨가 맑았으면 좋겠다.
그러게. 내이른 날씨가 말가쓰면 조켇따.
geureoge. naeireun nalssiga malgasseumyeon joketda.

< 설명(说明) / 번역(翻译) >

내일+이 소풍+이+ㄴ데 비+가 너무 많이 오+네.
소풍인데

• **내일 (名词)** : 오늘의 다음 날.
明天，明日
今天的下一天。

• 이 (助词) : 어떤 상태나 상황의 대상이나 동작의 주체를 나타내는 조사.
无对应词汇
表示行为的主体或状态描述的对象。

• **소풍 (名词)** : 경치를 즐기거나 놀이를 하기 위하여 야외에 나갔다 오는 일.
远足，郊游，野游
为了享受美景或做游戏而去野外。

• 이다 (助词) : 주어가 지시하는 대상의 속성이나 부류를 지정하는 뜻을 나타내는 서술격 조사.
无对应词汇
表示指定主语所指示的属性或类型。

• -ㄴ데 (语尾) : 뒤의 말을 하기 위하여 그 대상과 관련이 있는 상황을 미리 말함을 나타내는 연결 어미.
无对应词汇
表示为了说后面的话而先说与其相关的状况。

• **비 (名词)** : 높은 곳에서 구름을 이루고 있던 수증기가 식어서 뭉쳐 떨어지는 물방울.
雨
高空中形成云朵的水蒸气冷却凝聚后降落而下的水滴。

• 가 (助词) : 어떤 상태나 상황에 놓인 대상이나 동작의 주체를 나타내는 조사.
无对应词汇
表示行为的主体或状态描述的对象。

• **너무 (副词)** : 일정한 정도나 한계를 훨씬 넘어선 상태로.
太
已超过一定的程度或限度的状态。

• **많이 (副词)** : 수나 양, 정도 등이 일정한 기준보다 넘게.
多
数、量、程度等超过一定标准地。

• **오다 (动词)** : 비, 눈 등이 내리거나 추위 등이 닥치다.
下，来
降雨雪或寒潮来临。

• -네 (语尾) : (아주낮춤으로) 지금 깨달은 일에 대하여 말함을 나타내는 종결 어미.
无对应词汇
(高卑) 表示现在觉察到的事情。

그러게.

내일+은 날씨+가 맑+[았으면 좋겠]+다.

• **그러게 (叹词)** : 상대방의 말에 찬성하거나 동의하는 뜻을 나타낼 때 쓰는 말.
就是嘛，可不嘛
用于赞成或同意对方所说的话。

• **내일 (名词)** : 오늘의 다음 날.
明天，明日
今天的下一天。

• 은 (助词) : 어떤 대상이 다른 것과 대조됨을 나타내는 조사.
无对应词汇
表示某个对象与另一个形成对照。

• **날씨 (名词)** : 그날그날의 기온이나 공기 중에 비, 구름, 바람, 안개 등이 나타나는 상태.
天气
每天在气温或空气中出现的，如雨、云、风、雾等的状况。

• 가 (助词) : 어떤 상태나 상황에 놓인 대상이나 동작의 주체를 나타내는 조사.
无对应词汇
表示行为的主体或状态描述的对象。

• **맑다 (形容词)** : 구름이나 안개가 끼지 않아 날씨가 좋다.
晴朗，明朗
没有云雾，天气很好。

• -았으면 좋겠다 (表达) : 말하는 사람의 소망이나 바람을 나타내거나 현실과 다르게 되기를 바라는 것을 나타내는 표현.
无对应词汇
表示说话人的希望或愿望，或表示期望与现实不同。

• -다 (语尾) : (아주낮춤으로) 어떤 사건이나 사실, 상태를 서술함을 나타내는 종결 어미.
无对应词汇
(高卑) 表示陈述某个事件、事实或状态。

< 대화(聊天) > - 90

교수님, 오늘 수업 내용에 대한 질문이 있습니다.
교수님, 오늘 수업 내용에 대한 질무니 읻씀니다.
gyosunim, oneul sueop naeyonge daehan jilmuni itseumnida.

이해가 안 되는 부분이 있으면 편하게 얘기하세요.
이해가 안 되는 부부니 이쓰면 편하게 얘기하세요.
ihaega an doeneun bubuni isseumyeon pyeonhage yaegihaseyo.

< 설명(说明) / 번역(翻译) >

교수+님, 오늘 수업 내용+[에 대한] 질문+이 있+습니다.

• **교수 (名词)** : 대학에서 학문을 연구하고 가르치는 일을 하는 사람. 또는 그 직위.
教授
在大学里研究学问并讲授课程的人；或指其职位。

• 님 (词缀) : '높임'의 뜻을 더하는 접미사.
无对应词汇
指“敬称”。

• **오늘 (名词)** : 지금 지나가고 있는 이날.
今天，今日
现在正在度过的这一天。

• **수업 (名词)** : 교사가 학생에게 지식이나 기술을 가르쳐 줌.
授课，讲课
教师教学生知识或技术。

• **내용 (名词)** : 사물이나 일의 속을 이루는 사정이나 형편.
内容
事物或事情所关联的原委或情况。

• 에 대한 (表达) : 뒤에 오는 명사를 수식하며 앞에 오는 명사를 뒤에 오는 명사의 대상으로 함을 나타내는 표현.
跟……有关的，关于……的
用来修饰后面名词，将前面名词当作后面名词的对象。

• **질문 (名词)** : 모르는 것이나 알고 싶은 것을 물음.
提问
询问不懂或想知道的问题。

• 이 (助词) : 어떤 상태나 상황의 대상이나 동작의 주체를 나타내는 조사.
无对应词汇
表示行为的主体或状态描述的对象。

• **있다 (形容词)** : 사실이나 현상이 존재하다.
有
事实或现象存在。

• -습니다 (语尾) : (아주높임으로) 현재의 동작이나 상태, 사실을 정중하게 설명함을 나타내는 종결 어미.
无对应词汇
(高尊) 表示以郑重的语气说明现在的动作、状态或事实。

이해+가 안 되+는 부분+이 있+으면 편하+게 얘기하+세요.

• **이해 (名词)** : 무엇을 깨달아 앎. 또는 잘 알아서 받아들임.
理解，领悟
顿悟到而明白；或指十分了解而接受。

• 가 (助词) : 바뀌게 되는 대상이나 부정하는 대상임을 나타내는 조사.
无对应词汇
表示变化或否定的对象。

• **안 (副词)** : 부정이나 반대의 뜻을 나타내는 말.
不
表示否定或反对。

• **되다 (动词)** : 어떠한 심리적인 상태에 있다.
感到
处于某种心理状态。

• -는 (语尾) : 앞의 말이 관형어의 기능을 하게 만들고 사건이나 동작이 현재 일어남을 나타내는 어미.
无对应词汇
使前面的词具有定语功能，表示事件或动作现在正在发生。

• **부분 (名词)** : 전체를 이루고 있는 작은 범위. 또는 전체를 여러 개로 나눈 것 가운데 하나.
部分
构成整体的小范围；或指把整体分为多个时的其中一个。

• 이 (助词) : 어떤 상태나 상황의 대상이나 동작의 주체를 나타내는 조사.
无对应词汇
表示行为的主体或状态描述的对象。

• **있다 (形容词)** : 사실이나 현상이 존재하다.
有
事实或现象存在。

• -으면 (语尾) : 뒤에 오는 말에 대한 근거나 조건이 됨을 나타내는 연결 어미.
无对应词汇
表示前句为后句的根据或条件。

• **편하다 (形容词)** : 몸이나 마음이 괴롭지 않고 좋다.
舒服，舒畅
身体或心情不难受，好。

• -게 (语尾) : 앞의 말이 뒤에서 가리키는 일의 목적이나 결과, 방식, 정도 등이 됨을 나타내는 연결 어미.
无对应词汇
表示前面的内容为后面所指事情的目的、结果、方式或程度等。

• **얘기하다 (动词)** : 어떠한 사실이나 상태, 현상, 경험, 생각 등에 관해 누군가에게 말을 하다.
说，讲
就某个事实、状态、现象、经验或想法等向某人说话。

• -세요 (语尾) : (두루높임으로) 설명, 의문, 명령, 요청의 뜻을 나타내는 종결 어미.
无对应词汇
(普尊) 表示说明、疑问、命令、请求。**<命令>**

< 대화(聊天) > - 91

어디 아프니? 안색이 안 좋아 보여.
어디 아프니? 안새기 안 조아 보여.
어디 아프니? 안색이 안 좋아 보여.

배가 고파서 빵을 급하게 먹었더니 체한 것 같아요.
배가 고파서 빵을 그파게 머걷떠니 체한 걷 가타요.
baega gopaseo ppangeul geupage meogeotdeoni chehan geot gatayo.

< 설명(说明) / 번역(翻译) >

어디 아프+니?

안색+이 안 좋+[아 보이]+어.

좋아 보여

• **어디 (代词)** : 모르는 곳을 가리키는 말.
哪里，哪儿
指代不知道的处所。

• **아프다 (形容词)** : 다치거나 병이 생겨 통증이나 괴로움을 느끼다.
疼， 痛，不舒服
因受伤或生病，而感到痛症或痛苦。

• -니 (语尾) : (아주낮춤으로) 물음을 나타내는 종결 어미.
无对应词汇
(高卑) 表示询问。

• **안색 (名词)** : 얼굴에 나타나는 표정이나 빛깔.
脸色，神色
脸上露出的表情或光泽。

• 이 (助词) : 어떤 상태나 상황의 대상이나 동작의 주체를 나타내는 조사.
无对应词汇
表示行为的主体或状态描述的对象。

• **안 (副词)** : 부정이나 반대의 뜻을 나타내는 말.
不
表示否定或反对。

• **좋다 (形容词)** : 신체적 조건이나 건강 상태 등이 보통보다 낫다.
好，良好
身体条件或健康状态等高于一般人。

• -아 보이다 (表达) : 겉으로 볼 때 앞의 말이 나타내는 것처럼 느껴지거나 추측됨을 나타내는 표현.
看起来，看上去
表示从表面上能感觉到或能猜到前面表达的内容。

• -어 (语尾) : (두루낮춤으로) 어떤 사실을 서술하거나 물음, 명령, 권유를 나타내는 종결 어미.
无对应词汇
(普卑) 表示陈述某种事实、询问、命令或劝说。**<叙述>**

배+가 고파(고ㅍ)+아서 빵+을 급하+게 먹+었더니 체하+[ㄴ 것 같]+아요.
고파서 체한 것 같아요

• **배 (名词)** : 사람이나 동물의 몸에서 음식을 소화시키는 위장, 창자 등의 내장이 있는 곳.
腹部
人或动物的身体中消化食物的肠胃等内脏所在的部位。

• 가 (助词) : 어떤 상태나 상황에 놓인 대상이나 동작의 주체를 나타내는 조사.
无对应词汇
表示行为的主体或状态描述的对象。

• **고프다 (形容词)** : 뱃속이 비어 음식을 먹고 싶다.
饿，饥饿
肚子空了，想吃东西。

• -아서 (语尾) : 이유나 근거를 나타내는 연결 어미.
无对应词汇
表示理由或根据。

• **빵 (名词)** : 밀가루를 반죽하여 발효시켜 찌거나 구운 음식.
面包
将面粉揉和并使之发酵后，蒸或烤而成的食物。

• 을 (助词) : 동작이 직접적으로 영향을 미치는 대상을 나타내는 조사.
无对应词汇
表示动作直接涉及的对象。

• **급하다 (形容词)** : 시간적 여유 없이 일을 서둘러 매우 빠르다.
急忙，急切，急促
做事匆促，没有闲暇。

• -게 (语尾) : 앞의 말이 뒤에서 가리키는 일의 목적이나 결과, 방식, 정도 등이 됨을 나타내는 연결 어미.
无对应词汇
表示前面的内容为后面所指事情的目的、结果、方式或程度等。

• **먹다 (动词)** : 음식 등을 입을 통하여 배 속에 들여보내다.
吃
将食物送进口中并咽下。

• -었더니 (表达) : 과거의 사실이나 상황이 뒤에 오는 말의 원인이나 이유가 됨을 나타내는 표현.
无对应词汇
表示过去的事实或情况是后句的原因或理由。

• **체하다 (动词)** : 먹은 음식이 잘 소화되지 않아 배 속에 답답하게 남아 있다.
积食，滞食，伤食
吃的食物不好消化，堵在肚子里。

• -ㄴ 것 같다 (表达) : 추측을 나타내는 표현.
无对应词汇
表示推测。

• -아요 (语尾) : (두루높임으로) 어떤 사실을 서술하거나 질문, 명령, 권유함을 나타내는 종결 어미.
无对应词汇
(普尊) 表示叙述某个事实，或提问、命令、劝说。**<叙述>**

< 대화(聊天) > - 92

배가 좀 아픈데 우리 잠깐 쉬었다 가자.
배가 좀 아픈데 우리 잠깐 쉬얻따 가자.
baega jom apeunde uri jamkkan swieotda gaja.

음식을 먹은 다음에 바로 운동을 해서 그런가 보다.
음시글 머근 다으메 바로 운동을 해서 그런가 보다.
eumsigeul meogeun daeume baro undongeul haeseo geureonga boda.

< 설명(说明) / 번역(翻译) >

배+가 좀 아프+ㄴ데 우리 잠깐 쉬+었+다 가+자.
아픈데

• **배 (名词)** : 사람이나 동물의 몸에서 음식을 소화시키는 위장, 창자 등의 내장이 있는 곳.
腹部
人或动物的身体中消化食物的肠胃等内脏所在的部位。

• 가 (助词) : 어떤 상태나 상황에 놓인 대상이나 동작의 주체를 나타내는 조사.
无对应词汇
表示行为的主体或状态描述的对象。

• **좀 (副词)** : 분량이나 정도가 적게.
一点点，有一点
分量或程度稀少地。

• **아프다 (形容词)** : 다치거나 병이 생겨 통증이나 괴로움을 느끼다.
疼， 痛，不舒服
因受伤或生病，而感到痛症或痛苦。

• -ㄴ데 (语尾) : 뒤의 말을 하기 위하여 그 대상과 관련이 있는 상황을 미리 말함을 나타내는 연결 어미.
无对应词汇
表示为了说后面的话而先说与其相关的状况。

• **우리 (代词)** : 말하는 사람이 자기와 듣는 사람 또는 이를 포함한 여러 사람들을 가리키는 말.
我们，咱们
说话人指代自己和听话人在内的一些人。

• **잠깐 (副词)** : 아주 짧은 시간 동안에.
一下，暂时地
在非常短暂的时间内。

• **쉬다 (动词)** : 피로를 없애기 위해 몸을 편안하게 하다.
休息，歇
为去除疲劳而使身体舒适。

• -었- (语尾) : 어떤 사건이 과거에 완료되었거나 그 사건의 결과가 현재까지 지속되는 상황을 나타내는 어미.
无对应词汇
表示某一事件已结束或其结果保持到现在。

• -다 (语尾) : 어떤 행동이나 상태 등이 중단되고 다른 행동이나 상태로 바뀜을 나타내는 연결 어미.
无对应词汇
表示某个动作或状态等中断后转为另一动作或状态。

• **가다 (动词)** : 한 곳에서 다른 곳으로 장소를 이동하다.
去
从一个地方移动到另一个地方。

• -자 (语尾) : (아주낮춤으로) 어떤 행동을 함께 하자는 뜻을 나타내는 종결 어미.
无对应词汇
(高卑) 表示让别人一起做某个动作。

음식+을 먹+[은 다음에] 바로 운동+을 하+여서 그렇(그러)+[ㄴ가 보]+다.
해서 그런가 보다

• **음식 (名词)** : 사람이 먹거나 마시는 모든 것.
食物，食品
可供人们吃喝的东西。

• 을 (助词) : 동작이 직접적으로 영향을 미치는 대상을 나타내는 조사.
无对应词汇
表示动作直接涉及的对象。

• **먹다 (动词)** : 음식 등을 입을 통하여 배 속에 들여보내다.
吃
将食物送进口中并咽下。

• -은 다음에 (表达) : 앞에 오는 말이 가리키는 일이나 과정이 끝난 뒤임을 나타내는 표현.
以后，之后
表示前面所指的事情或过程结束之后发生。

• **바로 (副词)** : 시간 차를 두지 않고 곧장.
立即，立刻
无时间间隔，马上。

• **운동 (名词)** : 몸을 단련하거나 건강을 위하여 몸을 움직이는 일.
运动
锻炼身体或为了健康而活动身体。

• 을 (助词) : 동작이 직접적으로 영향을 미치는 대상을 나타내는 조사.
无对应词汇
表示动作直接涉及的对象。

• **하다 (动词)** : 어떤 행동이나 동작, 활동 등을 행하다.
做，干
进行某种行动、动作或活动。

• -여서 (语尾) : 이유나 근거를 나타내는 연결 어미.
无对应词汇
表示理由或根据。

• **그렇다 (形容词)** : 상태, 모양, 성질 등이 그와 같다.
那样
表示状态、样子、性质等与此相同。

• -ㄴ가 보다 (表达) : 앞의 말이 나타내는 사실을 추측함을 나타내는 표현.
无对应词汇
表示对前面事实的推测。

• -다 (语尾) : (아주낮춤으로) 어떤 사건이나 사실, 상태를 서술함을 나타내는 종결 어미.
无对应词汇
(高卑) 表示陈述某个事件、事实或状态。

< 대화(聊天) > - 93

우리 저기 보이는 카페에 가서 같이 커피 마실까요?
우리 저기 보이는 카페에 가서 가치 커피 마실까요?
uri jeogi boineun kapee gaseo gachi keopi masilkkayo?

좋아요. 오늘은 제가 살게요.
조아요. 오느른 제가 살께요.
joayo. oneureun jega salgeyo.

< 설명(说明) / 번역(翻译) >

우리 저기 보이+는 카페+에 가+(아)서 같이 커피 마시+ㄹ까요?

가서 **마실까요**

• **우리 (代词)** : 말하는 사람이 자기와 듣는 사람 또는 이를 포함한 여러 사람들을 가리키는 말.
我们，咱们
说话人指代自己和听话人在内的一些人。

• **저기 (代词)** : 말하는 사람이나 듣는 사람으로부터 멀리 떨어져 있는 곳을 가리키는 말.
那里，那儿
指代离说话人或听话人很远的地方。

• **보이다 (动词)** : 눈으로 대상의 존재나 겉모습을 알게 되다.
让看见
用眼睛看而得知对象的存在或样子。

• -는 (语尾) : 앞의 말이 관형어의 기능을 하게 만들고 사건이나 동작이 현재 일어남을 나타내는 어미.
无对应词汇
使前面的词具有定语功能，表示事件或动作现在正在发生。

• **카페 (名词)** : 주로 커피와 차, 가벼운 간식거리 등을 파는 가게.
咖啡店，咖啡馆
主要销售咖啡、茶、点心等的店铺。

• 에 (助词) : 앞말이 목적지이거나 어떤 행위의 진행 방향임을 나타내는 조사.
无对应词汇
表示目的地或某行为进行的方向。

• **가다 (动词)** : 한 곳에서 다른 곳으로 장소를 이동하다.
去
从一个地方移动到另一个地方。

• -아서 (语尾) : 앞의 말과 뒤의 말이 순차적으로 일어남을 나타내는 연결 어미.
无对应词汇
表示前后内容依次发生。

• **같이 (副词)** : 둘 이상이 함께.
一起，一同
两个以上同时。

• **커피 (名词)** : 독특한 향기가 나고 카페인이 들어 있으며 약간 쓴, 커피나무의 열매로 만든 진한 갈색의 차.
咖啡
是一种用咖啡豆制作出来的、苦涩的深棕色饮品，其含有独特的香味及咖啡因。

• **마시다 (动词)** : 물 등의 액체를 목구멍으로 넘어가게 하다.
喝，饮
使水等液体流入喉咙。

• -ㄹ까요 (表达) : (두루높임으로) 듣는 사람에게 의견을 묻거나 제안함을 나타내는 표현.
无对应词汇
(普尊) 表示向听话人询问意见或提出建议。

좋+아요.

오늘+은 제+가 사+ㄹ게요.
살게요

• **좋다 (形容词)** : 어떤 일이나 대상이 마음에 들고 만족스럽다.
喜爱，喜欢
某事或某个对象很称心、很满意。

• -아요 (语尾) : (두루높임으로) 어떤 사실을 서술하거나 질문, 명령, 권유함을 나타내는 종결 어미.
无对应词汇
(普尊) 表示叙述某个事实，或提问、命令、劝说。**<叙述>**

• **오늘 (名词)** : 지금 지나가고 있는 이날.
今天，今日
现在正在度过的这一天。

• 은 (助词) : 어떤 대상이 다른 것과 대조됨을 나타내는 조사.
无对应词汇
表示某个对象与另一个形成对照。

• **제 (代词)** : 말하는 사람이 자신을 낮추어 가리키는 말인 '저'에 조사 '가'가 붙을 때의 형태.
我
说话人对自己的谦称"저"后加助词"가"的形态。

• 가 (助词) : 어떤 상태나 상황에 놓인 대상이나 동작의 주체를 나타내는 조사.
无对应词汇
表示行为的主体或状态描述的对象。

• **사다 (动词)** : 다른 사람과 함께 먹은 음식의 값을 치르다.
请客，付账，买单
支付与他人一起吃饭的费用。

• -ㄹ게요 (表达) : (두루높임으로) 말하는 사람이 어떤 행동을 할 것을 듣는 사람에게 약속하거나 의지를 나타내는 표현.
无对应词汇
(普尊) 表示说话人向听话人约定做某个行为或表达做某个行为的意志。

< 대화(聊天) > - 94

어떻게 공부를 했길래 하나도 안 틀렸어요?
어떠케 공부를 핻낄래 하나도 안 틀려써요?
eotteoke gongbureul haetgillae hanado an teullyeosseoyo?

전 그저 학교에서 배운 것을 빠짐없이 복습했을 뿐이에요.
전 그저 학꾜에서 배운 거슬 빠짐업씨 복쓰패쓸 뿌니에요.
jeon geujeo hakgyoeseo baeun geoseul ppajimeopsi bokseupaesseul ppunieyo.

< 설명(说明) / 번역(翻译) >

어떻게 공부+를 하+였+길래 하나+도 안 틀리+었+어요?
했길래 틀렸어요

- **어떻게 (副词)** : 어떤 방법으로. 또는 어떤 방식으로.
  怎么
  以什么办法；或指以什么方式。

- **공부 (名词)** : 학문이나 기술을 배워서 지식을 얻음.
  学习，读书
  通过学习学问或技术而获得知识。

- 를 (助词) : 동작이 직접적으로 영향을 미치는 대상을 나타내는 조사.
  无对应词汇
  表示动作直接涉及的对象。

- **하다 (动词)** : 어떤 행동이나 동작, 활동 등을 행하다.
  做，干
  进行某种行动、动作或活动。

- -였- (语尾) : 어떤 사건이 과거에 완료되었거나 그 사건의 결과가 현재까지 지속되는 상황을 나타내는 어미.
  无对应词汇
  表示某一事件已结束或其结果保持到现在。

- -길래 (语尾) : 뒤에 오는 말의 원인이나 근거를 나타내는 연결 어미.
  无对应词汇
  表示后句的原因或根据。

• **하나 (名词)** : 전혀, 조금도.
完全
全然，毫无。

• 도 (助词) : 극단적인 경우를 들어 다른 경우는 말할 것도 없음을 나타내는 조사.
无对应词汇
举出极端事例。

• **안 (副词)** : 부정이나 반대의 뜻을 나타내는 말.
不
表示否定或反对。

• **틀리다 (动词)** : 계산이나 답, 사실 등이 맞지 않다.
错，错误
计算或答案、事实等不正确。

• -었- (语尾) : 어떤 사건이 과거에 완료되었거나 그 사건의 결과가 현재까지 지속되는 상황을 나타내는 어미.
无对应词汇
表示某一事件已结束或其结果保持到现在。

• -어요 (语尾) : (두루높임으로) 어떤 사실을 서술하거나 질문, 명령, 권유함을 나타내는 종결 어미.
无对应词汇
(普尊)终结语尾。表示叙述某个事实，或提问、命令、劝说。**<提问>**

저+는 그저 학교+에서 배우+[ㄴ 것]+을 빠짐없이 복습하+였+[을 뿐이]+에요.
전 **배운 것을** **복습했을 뿐이에요**

• **저 (代词)** : 말하는 사람이 듣는 사람에게 자신을 낮추어 가리키는 말.
我
说话人在听话人面前对自己的谦称。

• 는 (助词) : 문장 속에서 어떤 대상이 화제임을 나타내는 조사.
无对应词汇
表示文中某个对象成为话题。

• **그저 (副词)** : 다른 일은 하지 않고 그냥.
仅仅
不做别的事情就那样。

• **학교 (名词)** : 일정한 목적, 교과 과정, 제도 등에 의하여 교사가 학생을 가르치는 기관.
学校
按照一定的目标、教育课程、制度等，教师对学生进行教育的机构。

• 에서 (助词) : 앞말이 행동이 이루어지고 있는 장소임을 나타내는 조사.
无对应词汇
表示前面的内容为动作所进行的地点。

• **배우다 (动词)** : 새로운 지식을 얻다.
学，学习
获得新知识。

• -ㄴ 것 (表达) : 명사가 아닌 것을 문장에서 명사처럼 쓰이게 하거나 '이다' 앞에 쓰일 수 있게 할 때 쓰는 표현.
无对应词汇
用于使非名词的词性在句中用作名词或使其可出现在"이다"前面。

• 을 (助词) : 동작이 직접적으로 영향을 미치는 대상을 나타내는 조사.
无对应词汇
表示动作直接涉及的对象。

• **빠짐없이 (副词)** : 하나도 빠뜨리지 않고 다.
一个不落地
没有漏掉任何一个，全部地。

• **복습하다 (动词)** : 배운 것을 다시 공부하다.
复习
再次学习学过的东西。

• -였- (语尾) : 어떤 사건이 과거에 완료되었거나 그 사건의 결과가 현재까지 지속되는 상황을 나타내는 어미.
无对应词汇
表示某一事件已结束或其结果保持到现在。

• -을 뿐이다 (表达) : 앞에 오는 말이 나타내는 상태나 상황 이외에 다른 어떤 것도 없음을 나타내는 표현.
无对应词汇
表示除了前面所指的状态或状况以外，什么也没有。

• -에요 (语尾) : (두루높임으로) 어떤 사실을 서술하거나 질문함을 나타내는 종결 어미.
无对应词汇
(普尊) 表示叙述或询问某个事实。**<叙述>**

< 대화(聊天) > - 95

듣기 좋은 노래 좀 추천해 주세요.
듣끼 조은 노래 좀 추천해 주세요.
deutgi joeun norae jom chucheonhae juseyo.

신나는 노래 위주로 듣는다면 이건 어때요?
신나는 조용한 노래 위주로 든는다면 이건 어때요?
sinnaneun norae wijuro deunneundamyeon igeon eottaeyo?

< 설명(说明) / 번역(翻译) >

듣+기 좋+은 노래 좀 추천하+[여 주]+세요.
추천해 주세요

• **듣다 (动词)** : 귀로 소리를 알아차리다.
听
用耳朵接受声音。

• -기 (语尾) : 앞의 말이 명사의 기능을 하게 하는 어미.
无对应词汇
使前面的词语具有名词功能。

• **좋다 (形容词)** : 어떤 것의 성질이나 내용 등이 훌륭하여 만족할 만하다.
好，美，优良，优美
性质或内容等很优秀，让人满意。

• -은 (语尾) : 앞의 말이 관형어의 기능을 하게 만들고 현재의 상태를 나타내는 어미.
无对应词汇
使前面的词具有定语功能，表示现在的状态。

• **노래 (名词)** : 운율에 맞게 지은 가사에 곡을 붙인 음악. 또는 그런 음악을 소리 내어 부름.
歌，歌曲，唱歌
给具有韵律的歌词添加曲子的音乐；或放声唱出那样的音乐。

• **좀 (副词)** : 주로 부탁이나 동의를 구할 때 부드러운 느낌을 주기 위해 넣는 말.
一下
主要用于委婉请求或征得同意。

• **추천하다 (动词)** : 어떤 조건에 알맞은 사람이나 물건을 책임지고 소개하다.
推荐，举荐
负责介绍符合某些条件的人或物品。

• -여 주다 (表达) : 남을 위해 앞의 말이 나타내는 행동을 함을 나타내는 표현.
给
表示为别人做前面表达的行动。

• -세요 (语尾) : (두루높임으로) 설명, 의문, 명령, 요청의 뜻을 나타내는 종결 어미.
无对应词汇
(普尊) 表示说明、疑问、命令、请求。<要求>

신나+는 노래 위주+로 듣+는다면 이것(이거)+은 어떻+어요?

이건 어때요

• **신나다 (动词)** : 흥이 나고 기분이 아주 좋아지다.
兴高采烈，兴奋
来了兴致，心情变得非常好。

• -는 (语尾) : 앞의 말이 관형어의 기능을 하게 만들고 사건이나 동작이 현재 일어남을 나타내는 어미.
无对应词汇
使前面的词具有定语功能，表示事件或动作现在正在发生。

• **노래 (名词)** : 운율에 맞게 지은 가사에 곡을 붙인 음악. 또는 그런 음악을 소리 내어 부름.
歌，歌曲，唱歌
给具有韵律的歌词添加曲子的音乐；或放声唱出那样的音乐。

• **위주 (名词)** : 무엇을 가장 중요한 것으로 삼음.
为主
把某事或某物当作最重要的。

• 로 (助词) : 어떤 일의 방법이나 방식을 나타내는 조사.
无对应词汇
表示某事的方法或方式。

• **듣다 (动词)** : 귀로 소리를 알아차리다.
听
用耳朵接受声音。

• -는다면 (语尾) : 어떠한 사실이나 상황을 가정하는 뜻을 나타내는 연결 어미.
无对应词汇
表示假设某个事实或状况。

• **이것 (代词)** : 말하는 사람에게 가까이 있거나 말하는 사람이 생각하고 있는 것을 가리키는 말.
这个
指代与说话人较近或说话人所想的东西。

• 은 (助词) : 문장 속에서 어떤 대상이 화제임을 나타내는 조사.
无对应词汇
表示某个对象是句中的话题。

• **어떻다 (形容词)** : 생각, 느낌, 상태, 형편 등이 어찌 되어 있다.
怎么样
想法、感觉、状态或境况等成为什么状况。

• -어요 (语尾) : (두루높임으로) 어떤 사실을 서술하거나 질문, 명령, 권유함을 나타내는 종결 어미.
无对应词汇
(普尊) 表示叙述某个事实，或提问、命令、劝说。**<提问>**

< 대화(聊天) > - 96

너 모자를 새로 샀구나. 잘 어울린다.
너 모자를 새로 삳꾸나. 잘 어울린다.
neo mojareul saero satguna. jal eoullinda.

고마워. 가게에서 보자마자 마음에 들어서 바로 사 버렸지.
고마워. 가게에서 보자마자 마으메 드러서 바로 사 버렫찌.
gomawo. gageeseo bojamaja maeume deureoseo baro sa beoryeotji.

< 설명(说明) / 번역(翻译) >

너 모자+를 새로 사+았+구나.
샀구나

잘 어울리+ㄴ다.
어울린다

- **너 (代词)** : 듣는 사람이 친구나 아랫사람일 때, 그 사람을 가리키는 말.
  你
  指代听者，用于朋友或晚辈。

- **모자 (名词)** : 예의를 차리거나 추위나 더위 등을 막기 위해 머리에 쓰는 물건.
  帽子
  戴在头上以表示礼貌或阻挡严寒暑热等的东西。

- 를 (助词) : 동작이 직접적으로 영향을 미치는 대상을 나타내는 조사.
  无对应词汇
  表示动作直接涉及的对象。

- **새로 (副词)** : 전과 달리 새롭게. 또는 새것으로.
  重新
  与以前不同，全新地；或用新的。

- **사다 (动词)** : 돈을 주고 어떤 물건이나 권리 등을 자기 것으로 만들다.
  买，购买
  用钱使某种东西或权利为己所有。

• -았- (语尾) : 어떤 사건이 과거에 완료되었거나 그 사건의 결과가 현재까지 지속되는 상황을 나타내는 어미.
无对应词汇
表示某一事件已结束或其结果保持到现在。

• -구나 (语尾) : (아주낮춤으로) 새롭게 알게 된 사실에 어떤 느낌을 실어 말함을 나타내는 종결 어미.
无对应词汇
(高卑) 表示对刚知道的事实有感而发。

• **잘 (副词)** : 아주 멋지고 예쁘게.
好看地，漂亮地
非常帅气而美丽地。

• **어울리다 (动词)** : 자연스럽게 서로 조화를 이루다.
谐调，相配，般配
相互自然地达到和谐。

• -ㄴ다 (语尾) : (아주낮춤으로) 현재 사건이나 사실을 서술함을 나타내는 종결 어미.
无对应词汇
(高卑) 表示对现在事件或事实的叙述。

고맙(고마우)+어.
고마워

가게+에서 보+자마자 [마음에 들]+어서 바로 사+[(아) 버리]+었+지.
사 버렸지

• **고맙다 (形容词)** : 남이 자신을 위해 무엇을 해주어서 마음이 흐뭇하고 보답하고 싶다.
感谢，感激
因别人为自己做了什么，内心感到很满足，并想给予回报。

• -어 (语尾) : (두루낮춤으로) 어떤 사실을 서술하거나 물음, 명령, 권유를 나타내는 종결 어미.
无对应词汇
(普卑) 表示陈述某种事实、询问、命令或劝说。<叙述>

• **가게 (名词)** : 작은 규모로 물건을 펼쳐 놓고 파는 집.
店，店铺，商店
铺放着东西来售卖的小规模铺子。

• 에서 (助词) : 앞말이 어떤 일의 출처임을 나타내는 조사.
无对应词汇
表示前面的内容为某事的出处。

• **보다 (动词)** : 눈으로 대상의 존재나 겉모습을 알다.
看
用眼睛识辨对象的存在或外观。

• -자마자 (语尾) : 앞의 말이 나타내는 사건이나 상황이 일어나고 곧바로 뒤의 말이 나타내는 사건이나 상황이 일어남을 나타내는 연결 어미.
无对应词汇
表示发生前面所指的事件后，紧接着发生后面所指的事件或情况。

• 마음에 들다 (惯用句) : 자신의 느낌이나 생각과 맞아 좋게 느껴지다.
合心意；满意；中意
符合自己的感觉或想法，所以觉得不错。

• -어서 (语尾) : 이유나 근거를 나타내는 연결 어미.
无对应词汇
表示理由或根据。

• **바로 (副词)** : 시간 차를 두지 않고 곧장.
立即，立刻
无时间间隔，马上。

• **사다 (动词)** : 돈을 주고 어떤 물건이나 권리 등을 자기 것으로 만들다.
买，购买
用钱使某种东西或权利为己所有。

• -아 버리다 (表达) : 앞의 말이 나타내는 행동이 완전히 끝났음을 나타내는 표현.
无对应词汇
表示前面所指的行动完全结束。

• -었- (语尾) : 어떤 사건이 과거에 완료되었거나 그 사건의 결과가 현재까지 지속되는 상황을 나타내는 어미.
无对应词汇
表示某一事件已结束或其结果保持到现在。

• -지 (语尾) : (두루낮춤으로) 말하는 사람이 자신에 대한 이야기나 자신의 생각을 친근하게 말할 때 쓰는 종결 어미.
无对应词汇
(普卑) 表示说话人亲切地说出自己的故事或想法。

< 대화(聊天) > - 97

엄마, 약속 시간에 늦어서 밥 먹을 시간 없어요.
엄마, 약쏙 시가네 느저서 밥 머글 시간 업써요.
eomma, yaksok sigane neujeoseo bap meogeul sigan eopseoyo.

조금 늦더라도 밥은 먹고 가야지.
조금 늗떠라도 바븐 먹꼬 가야지.
jogeum neutdeorado babeun meokgo gayaji.

< 설명(说明) / 번역(翻译) >

엄마, 약속 시간+에 늦+어서 밥 먹+을 시간 없+어요.

• **엄마 (名词)** : 격식을 갖추지 않아도 되는 상황에서 어머니를 이르거나 부르는 말.
妈妈
在非正式场合用于指称或称呼母亲。

• **약속 (名词)** : 다른 사람과 어떤 일을 하기로 미리 정함. 또는 그렇게 정한 내용.
约定，约好，承诺
事先决定与他人一起做某事；或指那样定下的内容。

• **시간 (名词)** : 어떤 일을 하도록 정해진 때. 또는 하루 중의 어느 한 때.
时间
为了做某事而定下的时刻；或指一天中的某个时刻。

• 에 (助词) : 앞말이 시간이나 때임을 나타내는 조사.
无对应词汇
表示时间或时候。

• **늦다 (动词)** : 정해진 때보다 지나다.
晚，迟到
过了已定的时间。

• -어서 (语尾) : 이유나 근거를 나타내는 연결 어미.
无对应词汇
表示理由或根据。

• **밥 (名词)** : 매일 일정한 때에 먹는 음식.
饭，餐
每天在一定时间吃的食物。

• **먹다 (动词)** : 음식 등을 입을 통하여 배 속에 들여보내다.
吃
将食物送进口中并咽下。

• -을 (语尾) : 앞의 말이 관형어의 기능을 하게 만들고 추측, 예정, 의지, 가능성 등을 나타내는 어미.
无对应词汇
使前面的词具有定语的功能，表示推测、预定、意志、可能性等。

• **시간 (名词)** : 어떤 일을 할 여유.
时间，空儿
做某事的空闲。

• **없다 (形容词)** : 어떤 사실이나 현상이 현실로 존재하지 않는 상태이다.
没有
某个事实或现象在现实里不存在。

• -어요 (语尾) : (두루높임으로) 어떤 사실을 서술하거나 질문, 명령, 권유함을 나타내는 종결 어미.
无对应词汇
(普尊) 表示叙述某个事实，或提问、命令、劝说。**<叙述>**

조금 늦+더라도 밥+은 먹+고 가+(아)야지.

가야지

• **조금 (副词)** : 시간이 짧게.
一会儿
时间短暂地。

• **늦다 (动词)** : 정해진 때보다 지나다.
晚，迟到
过了已定的时间。

• -더라도 (语尾) : 앞에 오는 말을 가정하거나 인정하지만 뒤에 오는 말에는 관계가 없거나 영향을 끼치지 않음을 나타내는 연결 어미.
无对应词汇
表示虽然假设或承认前句某种状况，但和后句内容没有关系或不会对此起到影响。

• **밥 (名词)** : 매일 일정한 때에 먹는 음식.
饭，餐
每天在一定时间吃的食物。

• 은 (助词) : 강조의 뜻을 나타내는 조사.
无对应词汇
表示强调。

• **먹다 (动词)** : 음식 등을 입을 통하여 배 속에 들여보내다.
吃
将食物送进口中并咽下。

• -고 (语尾) : 앞의 말과 뒤의 말이 차례대로 일어남을 나타내는 연결 어미.
无对应词汇
表示前后两件事依次发生。

• **가다 (动词)** : 한 곳에서 다른 곳으로 장소를 이동하다.
去
从一个地方移动到另一个地方。

• -아야지 (语尾) : (두루낮춤으로) 듣는 사람이나 다른 사람이 어떤 일을 해야 하거나 어떤 상태여야 함을 나타내는 종결 어미.
无对应词汇
(普卑) 表示听话人或别人应该做某事或处于某种状态。

< 대화(聊天) > - 98

너 오늘 많이 피곤해 보인다.
너 오늘 마니 피곤해 보인다.
neo oneul mani pigonhae boinda.

어제 늦게까지 술을 마셔 가지고 컨디션이 안 좋아.
어제 늗께까지 수를 마셔 가지고 컨디셔니 안 조아.
eoje neutgekkaji sureul masyeo gajigo keondisyeoni an joa.

< 설명(说明) / 번역(翻译) >

너 오늘 많이 피곤하+[여 보이]+ㄴ다.
피곤해 보인다

• **너 (代词)** : 듣는 사람이 친구나 아랫사람일 때, 그 사람을 가리키는 말.
你
指代听者，用于朋友或晚辈。

• **오늘 (副词)** : 지금 지나가고 있는 이날에.
今天
在正在度过的这一天。

• **많이 (副词)** : 수나 양, 정도 등이 일정한 기준보다 넘게.
多
数、量、程度等超过一定标准地。

• **피곤하다 (形容词)** : 몸이나 마음이 지쳐서 힘들다.
疲倦，疲惫，困
身体或心里觉得累而筋疲力尽。

• -여 보이다 (表达) : 겉으로 볼 때 앞의 말이 나타내는 것처럼 느껴지거나 추측됨을 나타내는 표현.
看起来，看上去
表示从表面上能感觉到或能猜到前面所表达的内容。

• -ㄴ다 (语尾) : (아주낮춤으로) 현재 사건이나 사실을 서술함을 나타내는 종결 어미.
无对应词汇
(高卑) 表示对现在事件或事实的叙述。

어제 늦+게+까지 술+을 마시+[어 가지고] 컨디션+이 안 좋+아.
마셔 가지고

• **어제 (副词)**：오늘의 하루 전날에.
昨天，昨日
在今天的前一天。

• **늦다 (形容词)**：적당한 때를 지나 있다. 또는 시기가 한창인 때를 지나 있다.
缓慢，晚
过了合适的时候；或错过了最佳时机。

• -게 (语尾)：앞의 말이 뒤에서 가리키는 일의 목적이나 결과, 방식, 정도 등이 됨을 나타내는 연결 어미.
无对应词汇
表示前面的内容为后面所指事情的目的、结果、方式或程度等。

• 까지 (助词)：어떤 범위의 끝임을 나타내는 조사.
到
表示某种范围的终点。

• **술 (名词)**：맥주나 소주 등과 같이 알코올 성분이 들어 있어서 마시면 취하는 음료.
酒
像啤酒或烧酒等那样含有酒精成分、喝后会醉的饮料。

• 을 (助词)：동작이 직접적으로 영향을 미치는 대상을 나타내는 조사.
无对应词汇
表示动作直接涉及的对象。

• **마시다 (动词)**：물 등의 액체를 목구멍으로 넘어가게 하다.
喝，饮
使水等液体流入喉咙。

• -어 가지고 (表达)：앞의 말이 나타내는 행동이나 상태가 뒤의 말의 원인이나 이유임을 나타내는 표현.
无对应词汇
表示前面所指行动或状态为后面的原因或理由。

• **컨디션 (名词)**：몸이나 건강, 마음 등의 상태.
状态，气色
身体或健康，心里等的状况。

• 이 (助词)：어떤 상태나 상황의 대상이나 동작의 주체를 나타내는 조사.
无对应词汇
表示行为的主体或状态描述的对象。

• **안 (副词)** : 부정이나 반대의 뜻을 나타내는 말.
不
表示否定或反对。

• **좋다 (形容词)** : 신체적 조건이나 건강 상태 등이 보통보다 낫다.
好，良好
身体条件或健康状态等高于一般人。

• -아 (语尾) : (두루낮춤으로) 어떤 사실을 서술하거나 물음, 명령, 권유를 나타내는 종결 어미.
无对应词汇
(普卑) 表示陈述、询问、命令或劝说某种事实。**<叙述>**

< 대화(聊天) > - 99

요리 학원에 가서 수업이라도 들을까 봐.
요리 하궈네 가서 수어비라도 드를까 봐.
yori hagwone gaseo sueobirado deureulkka bwa.

갑자기 왜? 요리를 해야 할 일이 있어?
갑짜기 왜? 요리를 해야 할 이리 이써?
gapjagi wae? yorireul haeya hal iri isseo?

< 설명(说明) / 번역(翻译) >

요리 학원+에 가+(아)서 수업+이라도 듣(들)+[을까 보]+아.
가서 들을까 봐

• **요리 (名词)** : 음식을 만듦.
烹饪，烹调
烹制食物的事。

• **학원 (名词)** : 학생을 모집하여 지식, 기술, 예체능 등을 가르치는 사립 교육 기관.
补习班，培训班
招收学生并教授其知识、技术及艺术体育等的私立教育机关。

• 에 (助词) : 앞말이 목적지이거나 어떤 행위의 진행 방향임을 나타내는 조사.
无对应词汇
表示目的地或某行为进行的方向。

• **가다 (动词)** : 한 곳에서 다른 곳으로 장소를 이동하다.
去
从一个地方移动到另一个地方。

• -아서 (语尾) : 앞의 말과 뒤의 말이 순차적으로 일어남을 나타내는 연결 어미.
无对应词汇
表示前后内容依次发生。

• **수업 (名词)** : 교사가 학생에게 지식이나 기술을 가르쳐 줌.
授课，讲课
教师教学生知识或技术。

• 이라도 (助词) : 그것이 최선은 아니나 여럿 중에서는 그런대로 괜찮음을 나타내는 조사.
无对应词汇
表示虽不是最佳，但在几个当中算是不错的。

• **듣다 (动词)** : 다른 사람의 말이나 소리 등에 귀를 기울이다.
听
聆听他人的话或声音等。

• -을까 보다 (表达) : 앞에 오는 말이 나타내는 행동을 할 의도가 있음을 나타내는 표현.
无对应词汇
表示有意图要做前面所指的行为。

• -아 (语尾) : (두루낮춤으로) 어떤 사실을 서술하거나 물음, 명령, 권유를 나타내는 종결 어미.
无对应词汇
(普卑) 表示陈述、询问、命令或劝说某种事实。**<叙述>**

갑자기 왜?

요리+를 하+[여야 하]+ㄹ 일+이 있+어?

해야 할

• **갑자기 (副词)** : 미처 생각할 틈도 없이 빨리.
突然，忽然，猛地，一下子
来不及想，很快地。

• **왜 (副词)** : 무슨 이유로. 또는 어째서.
为什么
因什么原因；或指怎么。

• **요리 (名词)** : 음식을 만듦.
烹饪，烹调
烹制食物的事。

• 를 (助词) : 동작이 직접적으로 영향을 미치는 대상을 나타내는 조사.
无对应词汇
表示动作直接涉及的对象。

• **하다 (动词)** : 어떤 행동이나 동작, 활동 등을 행하다.
做，干
进行某种行动、动作或活动。

• -여야 하다 (表达) : 앞에 오는 말이 어떤 일을 하거나 어떤 상황에 이르기 위한 의무적인 행동이거나 필수적인 조건임을 나타내는 표현.
无对应词汇
表示前面内容是为了做某事或达到某种情况而进行的强制性动作或必要条件。

• -ㄹ (语尾) : 앞의 말이 관형어의 기능을 하게 만들고 추측, 예정, 의지, 가능성 등을 나타내는 어미.
无对应词汇
使前面的词具有定语的功能，表示推测、预定、意志、可能性等。

• **일 (名词)** : 해결하거나 처리해야 할 문제나 사항.
事，工作
需要解决或处理的问题或事项。

• 이 (助词) : 어떤 상태나 상황의 대상이나 동작의 주체를 나타내는 조사.
无对应词汇
表示行为的主体或状态描述的对象。

• **있다 (形容词)** : 어떤 사람에게 무슨 일이 생긴 상태이다.
有，起
在某人身上发生某件事情。

• -어 (语尾) : (두루낮춤으로) 어떤 사실을 서술하거나 물음, 명령, 권유를 나타내는 종결 어미.
无对应词汇
(普卑) 表示陈述某种事实、询问、命令或劝说。**<提问>**

< 대화(聊天) > - 100

이 옷 사이즈도 맞고 너무 예뻐요.
이 옫 사이즈도 맏꼬 너무 예뻐요.
i ot saijeudo matgo neomu yeppeoyo.

다행이네. 너한테 작을까 봐 조금 걱정했는데.
다행이네. 너한테 자글까 봐 조금 걱쩡핸는데.
dahaengine. neohante jageulkka bwa jogeum geokjeonghaenneunde.

< 설명(说明) / 번역(翻译) >

이 옷 사이즈+도 맞+고 너무 예쁘(예ㅃ)+어요.

예뻐요

- **이 (冠形词)** : 말하는 사람에게 가까이 있거나 말하는 사람이 생각하고 있는 대상을 가리킬 때 쓰는 말.
  这，这个
  用于指示与话者离得近的物品，或用于指示话者所想的对象。

- **옷 (名词)** : 사람의 몸을 가리고 더위나 추위 등으로부터 보호하며 멋을 내기 위하여 입는 것.
  衣服，衣裳，服装
  为遮掩身体、防晒抗寒以及追求美观而穿的遮挡物。

- **사이즈 (名词)** : 옷이나 신발 등의 크기나 치수.
  尺寸，号，尺码
  衣服或鞋等的大小及号数。

- 도 (助词) : 이미 있는 어떤 것에 다른 것을 더하거나 포함함을 나타내는 조사.
  无对应词汇
  表示添加或包括。

- **맞다 (动词)** : 크기나 규격 등이 어떤 것과 일치하다.
  合，合适
  大小或规格等与某对象一致。

- -고 (语尾) : 두 가지 이상의 대등한 사실을 나열할 때 쓰는 연결 어미.
  无对应词汇
  表示罗列两个以上的对等的事实。

• **너무 (副词)** : 일정한 정도나 한계를 훨씬 넘어선 상태로.
太
已超过一定的程度或限度的状态。

• **예쁘다 (形容词)** : 생긴 모양이 눈으로 보기에 좋을 만큼 아름답다.
漂亮，好看
长相看起来美丽，让人喜欢。

• -어요 (语尾) : (두루높임으로) 어떤 사실을 서술하거나 질문, 명령, 권유함을 나타내는 종결 어미.
无对应词汇
(普尊) 表示叙述某个事实，或提问、命令、劝说。**<叙述>**

다행+이+네.

너+한테 작+[을까 보]+아 조금 걱정하+였+는데.

작을 까봐　　　걱정했는데

• **다행 (名词)** : 뜻밖에 운이 좋음.
万幸，幸事，走运
意外地运气好。

• 이다 (助词) : 주어가 지시하는 대상의 속성이나 부류를 지정하는 뜻을 나타내는 서술격 조사.
无对应词汇
表示指定主语所指示的属性或类型。

• -네 (语尾) : (아주낮춤으로) 지금 깨달은 일에 대하여 말함을 나타내는 종결 어미.
无对应词汇
(高卑) 表示现在觉察到的事情。

• **너 (代词)** : 듣는 사람이 친구나 아랫사람일 때, 그 사람을 가리키는 말.
你
指代听者，用于朋友或晚辈。

• 한테 (助词) : 앞말이 기준이 되는 대상이나 단위임을 나타내는 조사.
无对应词汇
表示作为标准的对象或单位。

• **작다 (形容词)** : 정해진 크기에 모자라서 맞지 아니하다.
小，瘦
因少于指定大小而不合尺寸。

• -을까 보다 (表达) : 앞에 오는 말이 나타내는 상황이 될 것을 걱정하거나 두려워함을 니티내는 표현.
无对应词汇
表示担心或害怕出现前面所指的状况。

• -아 (语尾) : 앞에 오는 말이 뒤에 오는 말에 대한 원인이나 이유임을 나타내는 연결 어미.
无对应词汇
表示前句是后句的原因或理由。

• **조금 (副词)** : 분량이나 정도가 적게.
一点点
分量或程度稀少地。

• **걱정하다 (动词)** : 좋지 않은 일이 있을까 봐 두려워하고 불안해하다.
担心，忧虑，担忧
害怕发生不好的事情而感到不安。

• -였- (语尾) : 어떤 사건이 과거에 완료되었거나 그 사건의 결과가 현재까지 지속되는 상황을 나타내는 어미.
无对应词汇
表示某一事件已结束或其结果保持到现在。

• -는데 (语尾) : (두루낮춤으로) 듣는 사람의 반응을 기대하며 어떤 일에 대해 감탄함을 나타내는 종결 어미.
无对应词汇
(普卑) 表示感叹，同时期待听话人的反应。

< 참고(参考) 문헌(文献) >

고려대학교 한국어대사전, 고려대학교 민족문화연구원, 2009
우리말샘, 국립국어원, 2016
표준국어대사전, 국립국어원, 1999
한국어교육 문법 자료편, 한글파크, 2016
한국어 교육학 사전, 하우, 2014
한국어기초사전, 국립국어원, 2016
한국어 문법 총론 Ⅰ, 집문당, 2015

대화로 배우는 한국어 中国语(翻译)

발 행 | 2024년 6월 21일
저 자 | 주식회사 한글2119연구소
펴낸이 | 한건희
펴낸곳 | 주식회사 부크크
출판사등록 | 2014.07.15.(제2014-16호)
주 소 | 서울특별시 금천구 가산디지털1로 119 SK트윈타워 A동 305호
전 화 | 1670-8316
이메일 | info@bookk.co.kr

ISBN | 979-11-410-9062-3

www.bookk.co.kr